LES PRISONNIERS DU SERINGAL

Le présent récit étant une œuvre de pure fiction, toute resssemblance avec les personnes vivantes ou décédées serait due au seul hasard.

LES PRISONNIERS DU SERINGAL

JEAN AVIDIA

La Collection Marabout est
éditée et imprimée par
G E R A R D & C°
65, rue de Limbourg, 65
VERVIERS — (Belgique).

Correspondant général à **Paris :** L'INTER, 228-230, Boulevard Raspail. — Gérant exclusif et Distributeur général pour les **Amériques :** D. KASAN, 226, EST, Christophe Colomb, Québec-P.-Q. Canada. — Distributeur en **Suisse :** Editions SPES, Riponne, 4, Lausanne.

CHAPITRE PREMIER

L'orage avait lavé le ciel, détruit la poussière et revigoré les verdures. Au bord de l'eau, roussie par les détritus tombés des berges, un grand canot attendait, couché dans la vase rougeâtre... seul point sombre dans l'aube dorée. Le soleil, derrière les forêts dentelées, montait à la vitesse d'un feu dévorant ; sa lumière courait sur le sol, envahissait les herbes, les guapés, les papyrus. Des bourgeons éclatèrent, des corolles s'ouvrirent... les délicates ombelles frissonnèrent.

Déjà la lumière se faisait aveuglante. La chaleur se mit à ramper sous les végétations tropicales et, complice de l'humus saturé d'eau, infesta l'air d'étouffantes odeurs.

— Hooo ! hooo ! hooo !

Christine sursauta ; l'heure du départ avait sonné.

Elle baissa la tête, dérobant à son père la farouche détermination qui brillait dans son regard, essuya les verres fumés de ses lunettes et glissa les tiges sous son casque. Sur sa joue s'installa un moustique qu'elle écrasa d'une gifle bien placée.

Raymond Talman, homme vigoureux de quarante-deux ans, qui aimait traiter sa fille comme une petite sœur capricieuse, sourit au visage partiellement caché par les verres luisant au soleil ; mais ses traits se figèrent en remarquant le petit menton carré et dur et les lèvres boudeuses. Christine, debou près de Mahila, sa nourrice noire, croisa les bras sur sa poitrine et considéra froidement les derniers préparatifs avant le départ.

— Hooo ! hooo ! hooo ! scanda la voix rauque de Talman.

Il aurait mieux aimé une crise de larmes au moment de la séparation que l'attitude glacée de sa fille. Il n'ignorait point qu'elle — comme lui-même — en souffrait, d'autant plus qu'elle avait perdu sa mère voici à peine un an et, bien que les fidèles serviteurs noirs Josua et sa femme Mahila veilleraient avec dévouement sur son unique enfant, leur plus pure tendresse ne pourrait combler le vide dans le jeune cœur.

— Hooo ! hooo ! hooo ! Vas-y donc, Joaquino ! clama Talman en direction du vaquero portugais qui ne connaissait qu'un langage abâtardi d'idiomes locaux.

Joaquino abattit d'une chiquenaude le sombrero déteint sur son visage olivâtre et, tel que son maître et Josua, les pantalons roulés et nu-pieds dans la vase, il s'arc-bouta contre la barque qui se mit à descendre lentement en craquant.

Christine, dont les courts cheveux cendrés brillaient au soleil et jouaient dans la faible brise matinale, leva un furtif regard vers Mahila. Elle aussi attendait, le regard rond. Ses épaisses lèvres serrées ne lâcheraient pas un mot du terrible secret qu'elle avait accepté de garder. Tranquillisée, la jeune fille eut un soupir de soulagement... pauvre, chère et dévouée nounou-chocolat !

— Hooo ! hooo ! hooo !

La barque avançait difficilement entre les plantes aquatiques. Lorsque l'eau se mit à jouer sur ses flancs, Talman commanda :

— Stop !

Les trois hommes y portèrent les victuailles qu'ils posèrent à l'ombre entre les coffres vides déjà embarqués, un moteur de rechange, les armes soigneusement enveloppées afin de les préserver de l'humidité, et les caisses de munitions. Talman serra longuement la main du Noir :

— Dis aux hommes de bêcher le grand pré sur le coteau sud ; fais-y cultiver tout ce qui est vendable à Bélem et charge-toi de ces ventes afin de pouvoir payer le plus de salaires possibles avant mon retour... car quoi qu'ils en disent : JE REVIENDRAI ! et avec un riche butin de fourrures qui nous permettra à tous de « recommencer » à travailler et à vivre !

Talman leva les yeux vers la colline où une trentaine

d'ouvriers, entourés de femmes et enfants de toutes races et couleurs, surveillaient les ultimes préparatifs du départ.

— Entends-tu, Josua ? reprit Talman d'une voix résonnante. Dis-leur que JE REVIENDRAI ! Qu'ils seront payés ! Que je ne veux pas perdre des hommes qui me sont restés fidèles pendant tant d'années ! Dis-le-leur, Josua !

Bouleversé, le Noir acquiesça de la tête ; mais sur la colline un murmure d'approbation monta suivi d'une chaude ovation et de cris de joie. Pourtant les hommes pouvaient seulement « espérer » le retour du maître qui avait décidé de pousser jusqu'au cœur même du sinistre Seringal... dont nul n'était jamais revenu. Ils appréciaient sa bravoure ; ils connaissaient sa loyauté et, devenus compréhensifs sous sa conduite, celle de sa femme et de leur fille, ils estimaient la famille Talman et, par leur travail, payaient généreusement leur bonté à leur égard.

Talman posa ses mains sur les épaules de Mahila ; il l'embrassa en murmurant :

— N'oublie pas que je te confie ce que j'ai de plus cher au monde : veille sur mon enfant.

Le teint brun de Mahila tourna soudain au gris, ses grands yeux menaçaient de sortir de leurs orbites. Elle eut un hoquet et s'enfuit vers la maison.

Raymond Talman secoua la tête et s'approcha de Christine qui, toujours farouche, n'avait point desserré les bras.

— Est-ce là le souvenir que tu veux que j'emporte de toi, Chris ? Le souvenir d'une gamine rancunière ? Généralement, quand je dois m'absenter pour quelques jours tu me sautes au cou, tu me démolis à moitié, tu me...

— Quelques jours ou quelques mois ? fit-elle brièvement.

— Cette fois, nécessairement quelques mois, Chris. Mais tu sais que je le dois. Je ne me suis jamais soustrait à mon devoir et n'ai pas encore l'intention de m'y soustraire. Je n'ai que trop réfléchi, trop calculé, trop pesé ! Il n'est pas d'autre possibilité de refaire rapidement une petite fortune qui nous permette d'acheter d'autres bœufs et de conserver nos serviteurs sûrs et dévoués. Dis-moi que tu comprends, Chris, que tu es d'accord. Dis-le-moi ?

— Oui, papa, dit-elle doucement ; je comprends, je suis d'accord.

— Et dans quelques années, Chris, de grands troupeaux paisseront à nouveaux sur nos prés !

— Certes papa.

— Encore une question, chérie : pourquoi aimes-tu mieux que Joaquino, le Portugais, m'accompagne dans la brousse qu'un autre ?

— Ben... Joaquino n'est peut-être pas très joli à regarder avec sa bouche édentée et ses yeux pas tout à fait d'accord, mais depuis deux ans qu'il est au MAS nous n'avons jamais eu à nous en plaindre.

— Sauf qu'il boit !

— Jamais trop ! Il est d'une résistance extraordinaire et connaît ses capacités.

— Heureusement il n'y aura pas de ses chers flacons de guarana dans la barque ! Mais ta réponse n'est pas complète. Achève ?

— Je sais qu'il a été élevé dans la brousse. Nul mieux que lui ne peut en connaître les secrets ni les dangers. Il est le plus adroit à manier le façao et à dépouiller les bêtes. Il n'a ni femme ni enfants et bien d'autres n'auraient pas osé t'accompagner, tandis que ce vaquero s'est spontanément présenté.

— Sais-tu qu'il nous est venu des confins du Matto-Grosso et que je l'ai trouvé cuvant son vin sous la pluie dans la boue ? Je le soupçonne d'être recherché par la police.

— Deux ans de services loyaux, n'est-ce pas une référence ?

— Evidemment tu n'écoutes que ton cœur...

— Comme toi-même tu as écouté le tien en le sortant de la boue et en lui procurant du travail pour vivre.

— A moins que ta maman ne l'ait exigé... Dis-moi, Chris, tu sais avec certitude que je reviendrai, n'est-ce pas ?

— Bien sûr, papa !

— Parce que tu prieras pour ton vieux bonhomme de père ?

— Pour mon jeune bonhomme de frère, c'est promis !

— Bon Dieu ! Que tu es bizarre ! Je... je ne puis m'empêcher de te dire que je m'attendais à te voir pleurer... et... voilà que...

— Bah ! souffla Christine avec une moue d'enfant punie. A quoi bon ? Les larmes n'y changeraient rien !

— Tu es une petite fille courageuse, ma Chris ! Talman ajouta dans un murmure : tu es « ma » fille et celle de ta maman, ma Thérèse.

— Tant mieux pour moi ! Le courage est quelquefois nécessaire dans la vie.

— Et tant pis pour moi, car tu es étrange quand même aujourd'hui ! Embrasse-moi... il est temps...

Christine glissa lentement, comme hésitante, ses bras autour du cou de son père et, fermant les yeux, elle posa un long baiser sur sa joue :

— Pardonne-moi... papa... d'être étrange... « Tout » est tellement étrange aujourd'hui et... pénible, tu sais.

— Je reviendrai ! répéta-t-il la voix cassée.

— Tu... reviendras... je sais...

Talman s'arracha et bondit dans la barque :

— Josua ! Joaquino ! Allez-y ! Un dernier effort !

Une brusque descente et le canot se mit à balancer.

— Hop ! enjoignit Talman.

Le vaquero rejoignit son maître. Déjà le moteur ronflait ; les pales de l'hélice commençaient leur danse.

Légère et rapide l'embarcation glissa en avant. Après un léger coude, elle disparut derrière un sombre massif d'arbres, ne laissant dans l'eau verdâtre qu'un faible jeu querelleur.

***

Christine, suivie de Josua, courut à toutes jambes vers l'habitation. Elle trouva Mahila sanglotante sur un siège dans le hall.

— Madre de Dios, nounou ! s'écria-t-elle en la secouant sans égards. L'heure n'est pas aux larmes, voyons, mais bien à l'action ! Allons, debout ! Sortons les...

— Non... pitié... supplia Mahila. Je ne peux pas !... Je ne peux pas faire ça ! Tu l'as entendu, ton père compte sur moi ! Nous ne pouvons pas le tromper ! Pas t'envoyer à la mort !

— Ça, par exemple ! s'écria Christine abasourdie. Rien qu'à la mort, hein ? Bon sang, toi, Mahila, oserais-tu manquer à ta parole ? Oserais-tu ravaler ta promesse ? Fi ! La vilaine renégate ! Et tu secoues encore la tête ? Eh bien, bon ! Je me passerai de toi et de ton aide ! Josua ? Veux-tu sortir la barque de derrière les papyrus, plier la bâche et charger mes bagages qui attendent dans ma chambre ? Nous partons dans un quart d'heure très exactement. Quand nous atteindrons Santarem, le vapeur aura quitté l'embarcadère et ce cher papa ne pourra plus se débarrasser de sa fille avant huit jours ! Ha ! il faudra bien qu'il m'emmène !

— Mon Dieu ! pleurnicha Mahila. O mon Dieu, ayez pitié de nous !

— Voilà ! riposta véhémentement Christine. C'est précisément pour que le bon Dieu ait pitié de nous que je dois rejoindre papa ! l'aider ! le soutenir ! A deux, nous ferons double travail et son absence sera bien moins longue ! Te rends-tu compte de ce que ça représente ? Et tu sais très bien que papa veillera sur moi ! qu'il sera heureux de pouvoir veiller sur moi !

— Quand même, intervint prudemment Josua. C'est pas la place des petites demoiselles dans les terribles forêts du Siringal où la mort guette sous chaque feuille.

— Tais-toi ! s'exclama Christine, lui mordant presque le nez. S'il en est qui doutent du retour de mon père, c'est une raison de plus pour que je le rejoigne et parte avec lui ! On est plus fort à deux, plus sûr de la victoire ! L'entraide n'est pas un vain mot et tu le sais !

— Haaa, soupira Mahila. Pourras-tu vraiment l'aider ? Je ne te vois pas bien « chasser » ! Tuer des animaux innocents ! Des tas d'animaux innocents, toi, qui n'as jamais été capable de tuer une mouche !

— Je m'aguerrirai ! riposta Christine frémissante. Et alors que vous m'aviez promis votre concours, c'est idiot de recommencer tant d'explications au dernier moment ! Avez-vous donc oublié le visage décomposé de papa quand on a trouvé le premier bœuf mort sur le pré ? Il avait tout de suite compris quelles menaces planaient sur les troupeaux car des nuées de mouches charbonneuses tournoyaient autour du cadavre déjà putréfié ! Avez-vous oublié les ravages terribles qui suivirent ? L'épizootie qui se répandait avec une vitesse foudroyante ? Cette affection charbonneuse qui n'a pas épargné une seule bête ? Pas une ? Avez-vous oublié la promesse que vous m'avez faite quand vous avez vu papa désespéré, abattu et quasi ruiné ? Puis, avec quel courage il a parlé aux hommes, leur annonçant sa décision de rassembler rapidement une petite fortune afin de pouvoir les garder tous au travail, de pouvoir racheter des bœufs et tout recommencer « pour eux »... et pour son enfant ? Sa décision de pousser au cœur même du Seringal où il trouvera les plus nombreuses et splendides fourrures ? A ce moment-là vous compreniez que cette enfant ne pouvait pas abandonner son père, qu'elle devait combattre à ses côtés ! Vous saviez que je suis aussi bon fusil que lui et vous avez promis de m'aider à le rejoindre ! Et maintenant que le moment est venu vous vous rétracteriez ? Dois-je donc vous traiter de « lâches » ?

— Non, petite demoiselle, pitié ! implora timidement Josua. Nous ne serons pas plus lâches que toi et ton père ! Mais... comprends-nous. Nous avons peur de perdre... à jamais... l'enfant chérie que Mahila a nourrie.

— N'y ajoutez pas l'égoïsme ! gronda Christine en se détournant, car elle savait la partie gagnée et dut se contenir pour ne pas trépigner et crier de joie.

— Assez ! intervint Mahila de sa plus grosse voix. C'est d'accord ! Tu aideras ton père, tu en es capable, c'est ton devoir et tu reviendras, vous reviendrez tous les deux ! Nous t'attendrons en veillant sur ce qui nous est confié... en travaillant, en priant. Certes ! Vous reviendrez ! Je te cherche encore une tasse de café, ma petite, pendant que Josua chargera la barque ! En avant, mon homme, assez de paroles inutiles ! Arrachons-nous le cœur et accomplissons notre promesse. Ma petite doit partir et tu la conduiras. C'est dit !

Christine sauta au cou de Mahila :

— Ma chère bonne grosse nounou-chocolat ! Ha, je savais bien que ta résistance n'était qu'une de tes lubies habituelles ! Je savais bien pouvoir compter sur toi ! Et... un secret, nounou, un secret rien que pour Josua et toi : moi aussi je m'arrache le cœur dont une part restera ici et dont j'emporte l'autre pour papa. C'est logique, non ? Et dans quelques mois tout ce qui aura été arraché, les bœufs y compris, retrouvera sa place !

Josua disparut par la porte extérieure, tandis que Mahila grommelait :

— L'heure n'est pas aux discours ! Tu les reprendras plus tard. Bois ton café pendant que je cherche ton sac à dos et ton équipement de brousse. N'as-tu pas oublié d'y joindre mon cache-poussière ?

— Dame ! Tu tenais tellement à me le voir emporter ! Mais j'ai dû le rétrécir un peu... un peu beaucoup ! Si j'avais eu le temps, j'aurais pu en sortir deux à ma taille. Tu sais, nounou, pendant mon absence tu auras le temps de te livrer à un peu de culture physique et de faire une cure d'amaigrissement...

— Ton absence et mon inquiétude se chargeront de ma ligne ! Fais-leur confiance !

— Inquiétude ? Ne me fais pas rire ! Tu oublies que papa sera là !

— Santa Madona ! Tu ignores donc réellement les dangers de la brousse ?

— J'en fais fi ! C'est différent. Et je me défendrai. C'est pourquoi j'y vais, non ?

— Naturellement ! se fâcha Mahila. Tu as toujours réponse à tout !

— N'est-ce pas toi qui m'as élevée ? Alors, de quoi te plains-tu ?

— C'est surtout ta maman. Je la jalousais parfois !

— Tout s'explique : maman était une femme douce qui m'a appris la charité et toi tu étais la femme dragon qui m'a appris à me défendre !

— Je... oooh !

— Ne te récrie pas ! On DOIT pouvoir se défendre dans la vie et surtout dans les forêts brésiliennes où « la mort guette sous chaque feuille ». Remarque en passant que Josua m'a appris à avoir de la mémoire. Merci à toi et à lui et au monde entier, car je suis heureuse, ma vieille nounou ! Je vais rejoindre papa et lui faire une surprise formidable ! Je...

— Surprise peu appréciée ! Sa colère sera terrible !

— Je vais vers l'aventure, poursuivit Christine ne se souciant point de la remarque de Mahila. Et j'aime l'aventure, nounou ! Je l'adore ! J'en ai toujours rêvé ! Peut-être pas d'une aventure aussi sensationnelle, j'en conviens, mais elle sera d'autant plus magnifique, et surtout avec papa !

— Je te répète que tu seras très mal reçue. Sa colère sera épouvantable !

— Pas pour longtemps, rassure-toi. Il ne reste que lui et moi de la famille... sinon tante Lise dans sa lointaine Camargue en France. Pourquoi ne marcherions-nous pas ensemble vers l'avenir que Dieu nous réserve ? Dame, je suis persuadée que c'est mon père qui a manqué à son devoir et que c'est le mien d'aller le lui rappeler.

— Enfant terrible ! Ton père prétend avec justesse que tu es née avec une carabine à la main mais il ne s'est jamais rendu compte qu'il te manquait le pantalon !

Christine rit, heureuse et, embrassant sa nourrice :

— Au revoir nounou. Soigne-toi bien !

— Que... que la Madona... te garde... ma chère méchante petite... A... adieu...

— Mais non voyons ! C'est « au revoir » qu'il faut dire ! Allons, répète !

— Au re... voir...

— Dis, chuchota Christine. Ne maigris pas trop quand même

pendant mon absence. Je ne te reconnaîtrais plus et c'est ça qui serait catastrophique !

— Petite garce !

— Ha, j'aime mieux ça ! A bientôt nounou-chocolat-fondant-à-la-crème !

Christine remit son casque et ses lunettes de soleil en se précipitant à l'extérieur où, à une centaine de mètres, elle retrouva le marigot avec les verdures qui le bordaient et le canot dont le moteur ronronnait. Du haut de la berge elle vérifia rapidement ses maigres bagages : sac à dos, armes, bandoulière, munitions et nourriture supplémentaires ; rien n'avait été oublié. Elle s'avança vers l'eau. Mais Josua la saisit dans ses longs bras de gibbon et la porta dans la barque :

— Tu te mouilleras les pieds plus tard ! maugréa-t-il. T'en auras plus de loisirs que t'en désireras !

— Oiseau de mauvais augure ! riposta-t-elle en plaquant un baiser sur la joue noire. Là ! Je n'aurai pas le temps de te dire au revoir à Santarem.

— Pas le temps ? Pas le temps de me dire... au revoir ?

— Bien sûr, gros géant ! Tu me jetteras avec mes bagages sur la rive et tu te sauveras au triple galop avec ton canot sans jeter un regard en arrière !

— Oui ! Pour que je n'assiste pas à la fureur de ton père ? Tant mieux !

— Ha, tu as compris ! Mais peut-être comprends-tu aussi qu'il ne faut pas lui laisser l'occasion de me renvoyer avec toi au Mas ? Et maintenant mets les voiles ! Et pleins gaz ! Vas-y !

Christine se tourna vers Mahila, debout au loin sur le seuil de la porte, les mains noires aux paumes rosées tendues, implorantes. Des larmes brillantes roulaient dans les rides de ses joues. La jeune fille lui envoya un dernier baiser et un sourire un peu humide... pauvre, chère nounou-chocolat ! Qu'il lui serait dur de vivre sans « sa petite » avec la crainte au cœur que la mort la guettait à tout instant ! Mais, courageusement, Christine éloigna cette pensée. En elle comme en Mahila vivait la certitude absolue du devoir accepté. Quand un homme est en danger, tous, fussent-ils hommes ou femmes, ont le devoir de le secourir. Or Raymond Talman avait appris à sa fille à manier *toutes* les armes, par pure distraction personnelle, parce qu'il aimait constater son extraordinaire adresse. N'avait-il pas ri à se tenir les côtes le jour où, à travers la fenêtre ouverte et à plus de quinze mètres de distance, Christine avait fracassé d'une balle de revolver une petite sous-tasse ébréchée, qu'elle n'avait que trop vue, dans les mains de Mahila ?

Qui donc, mieux que sa propre fille, qu'il avait lui-même dressée pour la lutte en cas de nécessité — mais non point pour « tuer » — pourrait mieux le seconder ? Elle n'avait pas le droit d'abandonner son père seul dans la brousse, assisté seulement d'un serviteur adroit à manier un poignard. Elle n'avait pas le droit de condamner plus de trente hommes presque tous mariés et leurs nombreux petits enfants à la misère, à la famine en se croisant les bras, alors que, saine et solide, il lui suffisait de rejoindre son père qui avait juré de les sauver TOUS en reconstruisant les richesses du Mas qui leur procureraient le travail pour vivre et feraient vivre leurs familles.

L'embarcation tirait derrière elle une traînée de mousse jaunâtre ! de sombres arbres tachaient les berges marécageuses, se groupaient peu à peu, transformant les énormes bouquets en forêt impénétrable. Loin derrière le canot, la chère maison, blottie dans les fleurs les plus somptueuses, s'estompait dans la brume tropicale. Christine en détacha son regard.

Le marigot s'élargissait à nouveau, les verdures s'amincissaient ; la barque, glissant de plus en plus vite, accéléra son joyeux refrain.

... Le père de Christine, connaissant les forêts brésiliennes, avait attendu les grandes pluies avant d'y pénétrer ; à l'époque actuelle les marigots débordaient, transformant les terres en une succession de lacs. Certaines années, les pluies persistaient et les orages, violents mais brefs, retardaient la décrue des eaux ; la contrée choisie pour une chasse avantageuse réunissait le gros gibier sur les terres élevées où se déroulaient les luttes les plus meurtrières.

Pour « vivre » hommes et bêtes devaient « tuer », telle y était la loi de la nature...

Christine soupira. Du pouce et de l'index, elle lissait distraitement le pli de son joli pantalon grège. Combien de jours... ou d'heures, le pli impeccable tiendrait-il dans le vêtement coquet ? Soudain elle redressa les épaules et, d'un coup de poing théâtral, enfonça son casque sur sa tête : voir les événements d'une manière pratique, voilà le dénouement ! Et la randonnée promettait de devenir une aventure passionnante aux côtés de son père ! Gai !

Le léger canot bondissait comme une coquille emportée par un ouragan. De grands échassiers aux plumages rosés se miraient dans l'onde près du rivage tranquille ; des oiseaux colorés embellissaient le pur ciel bleuté du matin ; dans ce monde merveilleux qui ouvrait à peine les yeux après la nuit agitée, le cours d'eau s'élargissait sans cesse.

Josua, grave et silencieux, tourna lentement la barre, entraînant la barque dans une mer mouvementée dont les jeux des eaux vertes et bleues, striées de traînées limoneuses, miroitaient violemment au soleil. Un vapeur blanc y creusait un profond sillon et s'éloignait, souillant le ciel d'un panache de fumée.

L'humble barque de Christine avait pénétré dans l'Amazone. Josua chercha adroitement sa route dans le fleuve immense ; il accéléra et ralentit tour à tour, croisant toutes sortes de bateaux.

Christine, sachant que son père prendrait son dernier repas et passerait sa dernière nuit en « pays civilisé » dans une auberge de Santarem, se laissa bercer avec insouciance ; après d'interminables heures de navigation sous le soleil implacable, le canot vira enfin dans l'embouchure du Rio Tapajoz.

Soudain le cœur de Christine battit la chamade : au loin un petit vapeur quittait l'embarcadère à destination pour Bélem... Elle pouvait encore le faire arrêter... elle pouvait encore y monter... retourner chez Mahila... retrouver sa vie tranquille au Mas... Les grands yeux blancs de Josua se tournèrent vers elle avec une question poignante dans les prunelles lui venant du fond du cœur...

Christine sourit en secouant la tête. Elle n'avait pas le droit de retourner en arrière ; son devoir la poussait vers son père. Elle l'assisterait, elle l'aiderait à arracher les hommes, les femmes, les enfants à la misère. A l'heure actuelle, ils « savaient » qu'elle aussi était partie et qu'ils pouvaient compter sur la fille comme sur le père.

Rien ne la détournerait plus de son devoir.

***

Raymond Talman crut rêver, puis s'évanouir, lorsqu'il vit approcher sa fille chargée d'un lourd sac à dos, le fusil en bandoulière, la ceinture garnie de cartouches et deux sacs de voyage au bout des bras.

Incapable de se lever de sa chaise derrière la table d'auberge, il bégaya quelques mots incompréhensibles, se frotta les yeux, fixa à nouveau sa fille et balbutia :

— Chris... Chris... toi ? Non... pas possible ! Et pourtant... Mais pourquoi Chris ? Qu'est-il encore... arrivé ? Que fais-tu ici... si tard ?

— Remets-toi papa, et surtout, sois calme. C'est « LE moment » de ta vie ou jamais, de prouver que tu as des nerfs à toute épreuve.

— Mais... me diras-tu ?

— Bien sûr. Je suis venue pour te « dire ». Bois d'abord un petit coup, papa ; ça te remettra de ton émotion.

Talman vida son verre d'une seule lampée, incapable d'aider sa fille à se débarrasser de ses lourds bagages qu'elle laissa choir sur le plancher crevassé de l'auberge. Elle dit crânement :

— Il doit bien y avoir un bout de chambre pour que moi aussi je puisse passer la nuit ici ?

— Je... je le pense... Il le faudra bien. Tu ne peux plus retourner au Mas ce soir, ni à Bélem ; le dernier vapeur vient de quitter.

— Je sais. Je l'ai croisé.

— Et il n'y en aura plus avant... Diable ! Qui t'a emmenée ici ?

Talman avait repris ses esprits. C'était l'instant que craignait Christine.

— Qui t'a conduit ici ? répéta-t-il les yeux fulgurants. Qui ? Parle !

— Josua.

— Jo... Josua !!! Où est-il cette espèce de...

— Il est reparti papa, dit calmement Christine.

— Parti ? Il est parti ? Et il a osé te...

— Du calme, voyons ! Je le lui ai ordonné, il n'avait pas le choix. Que voulais-tu qu'il fasse d'autre ?

— Chris ! fit Talman assommé, tu n'avais pas le droit de faire cela ! M'obliger à me faire retourner au Mas !

— Merci mon Dieu ! fut le soupir de soulagement de Christine. Il a fini par comprendre... et sans trop d'explications.

— Comprendre ? rugit soudainement Talman. Il suffit de voir ton attifement pour « comprendre » ! Mais n'y compte pas ! Demain je te reconduirai au Mas et après-demain je reviendrai ici ! C'est joli ce que ta folie aura obtenu.

Christine passa la langue sur ses lèvres :

— Tu n'es pas très galant ce soir, tu sais papa. Tu oublies qu'après pareil voyage j'ai faim.

Plein de rage, Talman commanda un repas que Christine se mit à manger avec appétit.

— Tu... tu es la créature la plus extravagante du monde ! recommença Talman. Tu...

— Oh, tu sais, ni plus ni moins *ta* fille et celle de...

— Je te défends de prononcer « son » nom en cet instant ! Elle était la douceur, la bonté incarnées !

— Je fais de mon mieux pour imiter sa bonté, mais je tiens sans doute de toi mon extravagance, mon adresse à manier les armes et mon goût d'aventures. Je crains, papa, que tu ne sois obligé d'accepter ta fille telle que tu l'as faite, c'est-à-dire : *à ton image.*

— Jamais ! Entends-tu ? Jamais je ne te permettrai de me suivre dans la brousse. Bon Dieu ! Me vois-tu emmener une femme... une gosse dans cet enfer ? La forêt tropicale n'est pas le joli décor que s'imaginent les gamines en quête d'aventures ! C'est le combat constant de l'homme contre la nature ! C'est le conflit de la vie et de la mort ! Demain tu retourneras au Mas !

— Non !!!

— Qu... oi ? Tu me désobéis ? Chris... c'est la première fois... et tu me fais mal...

— N'es-tu donc plus capable de réfléchir, papa ? Ceux qui souffrent ne sont *pas ici,* mais au Mas ! Des hommes quasi sans travail à l'avenir par trop incertain et des femmes qui tremblent pour leurs enfants ! Des êtres qui ne connaissent que le labour de la terre et les soins à donner aux bêtes. Ce n'est pas cela qu'ils peuvent aller faire à Bélem et il n'y a pas de fasenda à des lieues à la ronde où ils trouveront un travail conforme à leurs capacités. Quelles douloureuses épaves deviendraient-ils tous loin du Mas ? Tu les a quittés en leur promettant de les nourrir, de les garder, de les payer, de les sauver ! Mais quand les sauveras-tu ? Dans six mois ? Dans dix mois ? Papa, souviens-toi que tu m'as appris à me servir des armes comme toi-même, non pas pour « tuer » mais pour t'amuser sans songer qu'un jour ces mêmes armes nous auraient obligés à tuer quand même afin de sauver plus de quatre-vingts vies humaines ! A deux... à nous deux, papa, nous ne les ferons pas languir six mois mais trois mois, ou non pas dix mois mais cinq mois ! Et tu veilleras sur moi. Tu m'apprendras ce que j'ignore encore et je te seconderai.

Talman, affalé et la tête dans les mains, murmura :

— Je t'en supplie... épargne-moi cette horreur ? Ta mère... du haut du ciel, doit maudire mon... hésitation, ma faiblesse !

— Ou te bénir de permettre à son enfant de t'aider à sauver nos prochains ?

Christine se tut, n'ayant garde d'interrompre la méditation de son père... homme juste, droit et tellement fort !

Quand, enfin, il leva son regard vers elle, un regard apaisé dans un visage encore pâle aux traits défaits, elle sut qu'il avait « accepté ».

Sans encore un mot ils montèrent ensemble. Avant de se séparer il bénit le jeune front lisse et y posa un long baiser tandis qu'une prière monta de son cœur à ses lèvres muettes : « Seigneur, protégez-nous ».

Il crut sentir Thérèse les serrer tous deux dans ses bras...

CHAPITRE II

Le canot marchait gaiement contre le courant grossi par l'orage de la nuit, réclamant de Talman une attention constante. Les heures passaient uniformes et lentes, coupées par les repas que les hommes prenaient à tour de rôle tel qu'ils se relayaient à la barre.

Dans l'avant-soirée Talman engagea le canot dans une sorte de petite anse due aux inondations à l'abri des plissements rocheux, où, dans l'eau tranquille, il put l'amarrer à un simple roc sans crainte de voir l'amarre arrachée par la violence du courant.

A l'approche du soir, la lourde chaleur faisait place, peu à peu, à une chaleur plus douce. Les mosquitos blancos, de gros insectes bourdonnants dont les attaques massives ne laissaient point de répit, semblaient vouloir immuniser leurs victimes qui, après les premières piqûres, y devenaient à peu près insensibles.

Le Portugais s'activa à rassembler des brassées de bois mort amassé à profusion sur un entablement rocheux. Talman s'était éloigné sous les fourrés, la carabine au bout du bras, espérant tuer un petit gibier que Joaquino étriperait pour le repas du soir. Celui-ci alluma le foyer, y mit chauffer, dans une marmite d'étain, l'eau pure puisée dans un bréjo — modeste petite ruisseau — à proximité ; lorsque l'eau entra en ébullition, il y jeta trois bols de riz et différents ingrédients pimentés, puis chercha encore du bois qui alimenterait le feu toute la nuit jusqu'à l'aube.

Oisive, Christine promena un regard intéressé sur les berges basses où les verdures se poursuivaient, tellement tranquilles, qu'elles semblaient inhabitées. Au delà des eaux glauques et bouillonnantes une haie de roseaux masquait la rive opposée ; elle paraissait endormie. Mais Christine n'ignorait point que cette heure d'accalmie cachait une multitude d'êtres aux aguets : les faibles tremblants de peur, les forts affamés et menaçants.

Au loin un coup de feu retentit. Raymond Talman revint avec un petit quadrupède, offrant beaucoup de ressemblance avec un lièvre. Le vaquero dressa les tentes, la petite de Christine et une plus spacieuse pour les hommes ; elle pouvait les garantir tous trois contre les pluies diluviennes accompagnant les orages. Dans la nuit, brutalement abattue sur la forêt, les flammes allumaient soudainement deux lanternes vertes tapies sous les buissons. La jeune fille tressaillit, mais elle saisit sa carabine et braqua une torche électrique dans leur direction. Un chat sauvage la considérait... Elle avança de deux pas... Il recula et se glissa lentement hors de vue.

— Pourquoi n'as-tu pas tiré ? demanda son père qui avait suivi la scène des yeux.

— Tu m'as appris que sa peau n'a aucune valeur. Mais... regarde... Là !

Un coup sec claqua. Les singes hurleurs bondissaient dans les branches ; une armée d'aigrettes protestait avec des cris stridents... un long corps mou et gluant tomba sur le sol.

— Bravo ! s'écria Talman. C'est un boa magnifique, Chris, une peau de valeur ! Diable ! As-tu décidé de ne pas me faire regretter ta compagnie ?

Les yeux luisants, le serviteur s'était précipité vers la belle pièce abattue et se mit en devoir de l'écorcher. Ses mains adroites ne semblaient plus guère à l'apprentissage ; en quelques minutes le travail fut exécuté, puis la peau tendue sur un cadre de bambou pour sécher. Il traîna le corps dépouillé loin du campement afin de ne pas attirer les fauves par l'odeur de chair fraîche et suspendit également la peau hors d'atteinte des animaux. En revenant vers le camp, il assembla encore un monceau de palme et les déposa près du feu. Tandis qu'il se baissait, Christine vit balancer une amulette dans l'échancrure de sa chemise. Raymond Talman dit que l'homme semblait connaître à fond le métier pour lequel il avait été emmené ; quant à son honnêteté... un sentiment étrange l'empêchait de communiquer ses impressions...

Il s'assit près de Christine sur le roc devant le feu. Les flammes les préservaient des moustiques foisonnants au bord de l'eau.

— Eh bien, Chris, que penses-tu du chemin parcouru jusqu'ici ?

— Bah ! Rien qui puisse m'émouvoir, papa ! Ce n'est pas la première fois que je campe dans la forêt ou sur les rives d'un fleuve et même que je suis obligée d'abattre un reptile

— En effet « obligée » ; sinon tu t'en abstiendrais. Par chance, les grands ophidiens sont exterminés de nos terre depuis bien des années. Mais ne nous fions pas à la passivité présente, fillette ; plus les forêts sont tranquilles, plus elles sont menaçantes, car, ne t'y trompe pas : en ce même instant les centaines d'yeux de petits et grands carnassiers nous guettent.

Christine rit :

— Les fourmis ? Les cancrelats ? Les...

— Ne fais donc pas fi des fourmis ! trancha son père. Leurs masses grouillantes peuvent devenir notre plus terrible ennemi !

— Possible...

— N'en doute pas ! Viens. Accompagne-moi à l'endroit où Joaquino a jeté le corps du boa. Je parie une bourse pleine de contos qu'il n'en reste déjà plus qu'un squelette !

Elle frissonna.

— Le repas est prêt, vint annoncer le Portugais d'une voix morne.

— Veux-tu d'abord te savonner les mains ? demanda Christine en dérobant une moue de dégoût.

Joaquino lui jeta un regard en coulisse ; il soupira, mais s'exécuta. Talman sourit.

— Encore une chose à laquelle tu vas devoir t'habituer, mon petit.

— Je n'en vois pas la raison, papa ! Nous avons apporté du savon, non ? Nous laisser servir par ces mains-là après qu'elles ont écorché cet abominable animal ? Brrr !

— Et étripé le quadrupède, certes. A l'heure actuelle nous pouvons encore nous permettre quelques exigences ; il n'en sera plus de même quand nous serons à pied d'œuvre. Les crues laissent présager un gros gibier abondant et le travail ne chômera point. Dès lors, on mange comme on le peut et la lassitude réduit le repas chaud du soir à sa plus simple expression. Mieux vaut abréger le séjour dans ce climat irrespirable et charger la barque de peaux précieuses en un temps record. Crois-moi, dans quelques jours tu ne remarqueras plus guère les mains sales et toi-même tu oublieras de te les savonner.

Christine avala sa salive. Non ! Elle n'était pas encore prête à accepter pareille malpropreté !

— A défaut de fièvres, gronda-t-elle, nous deviendrons malades par infection ! Quelles pilules as-tu apportées contre ça ?

— Tu les appelleras : *routine,* s'il t'arrive d'y songer encore.

Le petit quadrupède grillait au-dessus des braises avec un joyeux grésillement. Au delà du fleuve, inondé de lune, une sourde rumeur monta ; sous la forêt derrière le roc contre lequel s'appuyaient les tentes, retentirent des voix apeurées qui devinrent peu à peu une litanie de plaintes. Au loin, un campéro mâle brâmait longuement ; un menaçant rauquement y répondit, imposant silence à la forêt éveillée ; un brusque froissement des feuilles annonçait un nouveau retrait des animaux tremblants. Seuls les crapauds et les grenouilles exhalaient encore leurs voix mélancoliques. Après le repas exotique, Christine et son père se retirèrent sous leurs tentes, laissant les premières heures de veille au Portugais.

Sa sommaire toilette de brousse terminée, la jeune fille s'étendit sur un bon matelas pneumatique et joignit les mains sous la nuque. Dans le silence pesant, les foisonnements des bruits nocturnes reprenaient, timidement, puis avec plus de franchise. Les petits carnassiers aux ventres creux, partaient à la chasse d'un pas hésitant. Combien parmi eux deviendraient *proies* eux-mêmes avant l'aube ?

Chassant cette pensée, Christine se jeta sur le côté ; à quelques pas de sa tente, le feu dévorait bruyamment les branches ; avec les émanations du camp, il tiendrait les bêtes sauvages éloignées.

Elle s'avoua qu'elle avait songé à battre en retraite à Santarem et sourit. La peur aussi deviendrait *pilule routine,* et la guérison serait rapide. En pensée, la jeune fille revit l'amulette de Joaquino. Ne connaissant point Dieu, son humble esprit attachait cependant foi à un objet qu'une tradition ancestrale garantissait souveraine contre les dangers. Machinalement, les doigts de Christine montèrent vers la chaînette d'or sur sa gorge et blottit, au creux de sa main , la médaille du scapulaire, minuscule emblème tangible de sa foi qui vivait chaudement au plus creux de son cœur.

Ici, comme tous les soirs, elle ferma les paupières et pria, jusqu'à ce qu'elle vacilla dans le sommeil.

***

La carabine à la main, Christine sortit de sa tente. Son père, qui avait repris la veille vers deux heures du matin, l'accueillit avec son rire jovial habituel :

— Ignorez-vous, mademoiselle, que des voyageurs comme nous doivent profiter de la fraîcheur matinale et non pas dormir jusqu'à sept heures ?

— Pourquoi ne pas m'avoir éveillée ? protesta-t-elle dans un baiser.

Mais elle dressa la tête portant les yeux vers les branches et écouta, immobile, le concert délirant.

— Comment tous ces chants ne t'ont-ils pas éveillée ? reprit son père après avoir respecté quelques instants son silence. Mais bah ! C'est de ton âge de dormir à poings fermés après une journée harassante !

— Harassante ? Ha, je n'ai fait que paresser hier !

— Ne t'y trompe pas. Le soleil et le vent sur l'Amazone et le climat irrespirable entre les berges du Tapajoz, accablent les plus forts... sans oublier la lutte contre les mosquitos qui t'ont mise dans un joli état ! Je suppose que tu n'as pas quitté le Mas sans joindre un miroir à tes bagages ? T'y es-tu regardée ?

— Ne te moque pas, papa ! J'ai un miroir, certes, mais tout petit, afin de ne pas encombrer mes bagages. Quant à m'y regarder ? J'avoue que c'est bien la première fois depuis que je connais l'usage de cet objet, que je ne l'aie pas osé !

— Parce que tu te rends compte que tu es méconnaissable ?

— Voilà ! Et ce que ça me brûle ! Mais toi-même, comment as-tu fait pour garder cette fraîcheur ?

— Parbleu ! Les mosquitos blancos distinguent la peau tendre des petites filles du cuir tanné d'un vieux chasseur ! Je n'ai pas été défraîchi. Mais tu pourras y remédier. Dès qu'il faisait jour, j'ai fait une petite incursion dans ces fourrés et j'ai eu la chance de trouver des limas. Ils sont dans le bréjo qui les gardera frais.

Toute joyeuse, Christine se précipita vers les gros fruits jaunes à écorce granuleuse ; son père en coupa un en deux morceaux. Elle s'enduisit de la pulpe juteuse dont elle constata aussitôt les bienfaits ; c'était une variété de citrons aux propriétés adoucissantes pour l'épiderme. Joaquino s'approcha, tête basse et yeux baissés :

— Le thé de la donzella est prêt.

— Merci, dit gentiment Christine. Je préparerai moi-même les toasts.

Le vaquéro lui jeta un regard un peu narquois de dessous les paupières et se détourna pour chercher la boîte de beurre posée, hermétiquement close, dans le bréjo la veille. La jeune fille en étendit une couche épaisse sur les toasts qu'elle couvrit de confiture ; ne pouvant conserver ces denrées périssables plus de deux ou trois jours, elle en usa largement.

Non loin de là un reptile déroulait ses anneaux le long d'une branche. Dans l'eau miroitante qui berçait le canot, deux museaux verdâtres de crocodiles immobiles faisaient taches ; Christine les considérait, ainsi que son père.

— N'offrent-ils pas une cible parfaite ? demanda-t-elle.

— Ils n'étaient pas là hier ; ils nous ont repérés cette nuit et nous surveillent. Eux aussi attendent leur petit déjeuner et n'attaqueront pas avant que nous soyons accessibles ; ils sont plus lestes dans l'élément liquide et plus sûrs de leur victoire. Leur patience et leur immobilité sont leurs meilleures armes.

— Mais pourquoi ne pas les abattre ?

— Vois-tu au delà du fleuve ces frémissements des lianes flottantes ? D'autres hôtes y attendent que les avant-gardes soient passées à l'action pour venir partager leur repas. Ne sens-tu pas l'odeur de musc émanant des sauriens ? Ce ne sont pas ces deux seules sentinelles immergées qui peuvent à ce point en infester l'air.

— En effet, murmura Christine. Il a fallu que tu y attires mon attention pour que je m'en rende compte. Et, comment partirons-nous d'ici ?

— En tenant les deux camarades en alerte avec quelques galets bien placés. Le remous de l'eau effraie les crocodiles des marais tranquilles et avant d'avoir compris qu'ils ne risquent rien, nous devons être embarqués et en route. A quoi bon tuer deux sauriens dont les nombreux voisins nous empêcheraient de prendre les peaux ? Mieux vaut ne pas gaspiller nos munitions.

Le vaquero finissait de plier les tentes. Talman dispersa les dernières braises du foyer de quelques coups de talon et ramassa sa carabine à répétition qu'il accrocha à son épaule. Du coup d'œil de maître il s'assura que rien n'avait été oublié. Voyant Joaquino trop lourdement chargé pour pouvoir gagner rapidement la barque, Christine prit les tentes ; Talman devait garder les mains libres pour s'occuper des jacarés. Le Portugais saisit la marmite à ses pieds et la peau de serpent enroulée qu'il joignit à son fardeau.

— En avant ! commanda Talman.

Ce fut la ruée. Avant que Christine atteignît la barque, les sauriens, surpris par l'attaque inattendue, se débattaient à grand remous d'eau contre les projectiles qui les harcelaient à la vitesse d'une mitraillette. Un galet plat, tranchant comme une lame, pénétra profondément dans un œil ; l'animal se tordit, puis resta flotter, sans vie, le ventre jaunâtre émergeant de l'onde. Joaquino se débarrassa de ses bagages, saisit ceux de Christine qui rejoignirent pêle-mêle les siens au fond de la barque et lui fit la courte échelle en émettant un rire gras. Il ramassa quelques galets, bondit dans le canot et se mit à bombarder le jacaré — qui approchait, la gueule bâillante et soufflant de rage — couvrant de la sorte son maître qui put fuir à son tour. Le moteur éclata, la barque glissa en avant au moment où le saurien l'atteignit et put encore la faire dévier d'un violent coup de queue.

Chaque seconde avait compté. Toutes avaient été utilisées avec à-propos et sang-froid. Si Christine avait un moment tremblé pour la vie de son père, à présent elle se comportait, à son exemple, comme si rien d'anormal ne s'était passé. Joaquino, pas davantage perturbé, ayant remis de l'ordre dans les objets au fond du canot, leva un regard trouble et interrogateur vers Talman. Celui-ci promena les yeux sur le paysage exotique. Bravant le courant du fleuve — qui n'est pas leur élément naturel — la troupe des jacarés s'était mise en mouvement préparant une attaque massive. Des fleurs trop belles et des lianes perpétuellement animées caressaient les flancs de la barque ; la faune en colère, la flore luxuriante suintaient le poison et la mort ; il fallait fuir ces lieux au plus tôt.

— Quand nous serons au milieu du fleuve, répondit Talman

à la question muette du vaquero, tu prendras la barre et je dormirai.

Dans la procession des palmiers sur la rive, de petits singes bondissaient de branche en branche, s'y accrochant avec agilité des mains, des pieds et de la queue ; ils s'exerçaient avec un plaisir manifeste à leurs exploits acrobatiques. Une nuée de palmipèdes montait dans le ciel bleu, mêlant les jacassements de joie aux cris de terreur et retombait dans les frondaisons dont les ampleurs les éliminaient du monde. Des bouquets de gracieux échassiers garnissaient, tels des parterres de fleurs, les bords des marécages débordants qui rejoignaient le fleuve. Déjà le lourd soleil des tropiques amalgamait sa chaude vapeur à l'atmosphère.

Christine remit ses lunettes et son casque ; la réverbération sur l'eau découplait les effets des rayons ; la vitesse de la barque fabriquait le vent. Rendue au courant, elle bondissait à travers les méandres du fleuve ; elle passa dans un défilé de rochers où les tourbillons s'amusaient à lui faire exécuter une folle sarabande, puis, poussée par le puissant moteur, elle reprit sa marche dansante mais rapide contre le courant houleux.

Talman passa la barre à Joaquino et s'étendit sur le matelas pneumatique à l'ombre des coffres disposés en bloc au milieu de la barque. Après les longues heures de veille nocturne qui requièrent une attention constante, il ne tarda pas à sombrer dans un profond sommeil réparateur.

Christine tira son nécessaire de couture d'un sac de voyage, désirant repriser un accroc fait à son pantalon en se précipitant dans la barque. Dans le remous qui la secouait, elle ne put enfiler son aiguille ; abandonnant ses efforts, elle remit l'étui dans le sac sous l'œil amusé du vaquero.

Feignant d'ignorer son regard, elle se tourna vers les rives qui défilaient, opaques et sinistres. Le frugal repas du midi apporta une variante à l'étape monotone, la jeune fille reprit sa place, les membres engourdis. Tandis que Joaquino tenait la barre, Talman fourbissait les armes qui devaient être préservées de la moiteur visqueuse de l'atmosphère. L'eau bilieuse et les berges traîtresses exhalaient leurs chaudes odeurs nauséeuses ; soudain un souffle brûlant souleva une vague de sable sur la rive et s'abattit sur la barque dont la carapace et les flancs emportaient la boue et la poussière de cinq cents milles de brousse. Sous la raie bleue du ciel, coupant les verdures au-dessus du canot, la chaleur, tour à tour humide et poudreuse, rendait l'air suffocant. Plus lasse de l'oisiveté imposée que d'une journée laborieuse, Christine s'assoupit.

Son père sourit, attendri. Sous le balancement du canot elle ne sentit pas la main qui renversa mollement sa tête sur un vêtement et couvrit le joli visage doré d'un voile afin de le préserver des piqûres des moustiques et du soleil dont les brutaux éclairs entre les fourrés mordaient la peau comme des coups de fouet.

Plus forts que les remous des eaux, les cris des habitants d'un toldo indien et les aboiements de trois grands chiens jaunes efflanqués, éveillèrent Christine. Le hameau groupait une quinzaine de huttes dans la savane sur une bande de sable ocrée près de l'eau. Les hommes et les femmes accompagnaient leurs hurlements de gestes incompréhensibles. Talman se redressa lentement et, leur faisant face, il toucha de la main sa poitrine et son front. Aussitôt le silence s'installa ; les Indiens répondirent avec dignité et une manifeste satisfaction au salut. Et la barque passa.

— Oh ! s'écria Christine après un instant de muette stupéfaction. Ces gens-là, bien qu'à moitié vêtus seulement, sont civilisés et leurs visages sont honnêtes !

— Bien sûr, répondit son père en riant. Ils vivent trop près de nous et connaissent les mœurs des Blancs. S'ils mènent encore cette vie d'hommes des bois, c'est par pure tradition.

— Santa Madona ! Ben... je les vois parfaitement se balader en habit et m'inviter à danser ! Je n'y verrais aucun inconvénient !

Talman rit à gorge déployée :

— Nous n'en sommes pas encore là, mon petit. Mais je connais leur vieux chef, homme droit et bon qui sera ravi de faire ta connaissance. Nous lui demanderons l'hospitalité en venant chasser dans ces parages sur le chemin du retour. Notre visite lui sera agréable et tu lui offriras une belle pièce de gibier qui t'ouvrira toutes grandes les portes de ces huttes.

— Mince ! Et je fumerai le calumet de la paix avec eux.

Talman jouissait de la boutade, mais il eut l'attention détournée par le fleuve qui se mit à livrer une véritable bataille à la barque, l'incitant à reprendre la barre. Joaquino, manifestement satisfait d'être libéré, se coucha sur le plancher, sortit un flacon de dessous une bâche et se versa un quart de guarana qu'il vida d'une seule lampée. Il rabattit son sombrero sur ses yeux et ne bougea plus.

Voyant les yeux stupéfaits de son père, Christine baissa la tête ; dans sa poitrine naissait un vague sentiment qu'elle catalogua *in petto* dans la famille des *remords*.

Avant le crépuscule la barque s'engagea dans un marigot débordant et s'éloigna du Rio Tapajoz. La parfaite maniabilité de l'embarcation lui permettait d'affronter les rapides. Serpentant entre les îlots disséminés le long de la rive, elle rencontra trois longues pirogues montées par des Indiens ; semblant ignorer les voyageurs, ils s'éloignèrent à grands coups de pagaie. La barque côtoyait des marécages pleins de jacarés, des plaines nues arides, de grandes forêts de plus en plus sauvages, mais elle ralentit. Tout au loin, l'eau soudainement lumineuse, s'élargissait comme une mer tranquille qui semblait toucher le ciel. Talman prit ses jumelles ; une secrète satisfaction se lisait sur ses traits ; il décida de pousser jusqu'à l'immense clairière, inattendue dans les fourrés serrés et les plantes aquatiques où ils furent soudain entourés de caïmans qu'ils durent chasser à coups de fusil et de rames. Tout à coup, dans le site sauvage d'une beauté surprenante, une chute d'eau leur coupa le chemin.

Ils ne pouvaient camper dans ces lieux infestés de sauriens et sous le ciel obscurci par le vol massif des condors — oiseaux de proie énormes qui atteignent trois mètres d'envergure. Tout en poursuivant la lutte, Talman dirigea prudemment la barque vers un long roc, trop élevé pour que les caïmans puissent l'escalader, et l'amarra. Quelques coups de fusils les débarrassèrent momentanément des attaques massives. Joaquino sauta sur le roc et la barque fut vivement déchargée. Ils l'encâblèrent solidement, puis, à la force de leurs bras ils la firent franchir la chute... opération hasardeuse, exigeant des hommes une très grandes adresse. Les bagages furent transportés le long de la rive et réembarqués dans le canot. Pourtant, les transbordements imprévus ayant pris plus de quatre heures, les voyageurs ne pourraient plus guère atteindre la belle clairière avant la nuit. Ils naviguèrent encore quelques milles et échouèrent l'embarcation sur la terre molle près d'un sous-bois, où l'absence des vautours garantissait à la fois celle des grands carnivores. (Les condors vivent des restes des carnassiers et de préférence à l'état de charogne). Non loin de là des canards sauvages jouaient sur un lac... autre preuve que les fauves avaient fui vers les hauteurs sèches. L'étroite bande de terre surélevée près du lac conviendrait parfaitement pour le campement et accorderait une nuit tranquille.

Un coup de feu fit bruyamment s'égayer les canards. Talman ramassa le palmipède que Christine pluma pour le dîner, tandis que Joaquino dressa le camp, puis prépara le repas

Au loin la forêt tremblait de rauquements menaçants. Tout proche les oiseaux fabriquaient un concert d'une beauté inégalable.

En dépit des dangers qui rôdaient, Christine prit tout doucement goût à cette vie aventureuse, non sans garder jour et nuit ses armes à sa portée... tel que le flacon de guarana restait, hélas ! à la portée du Portugais.

Le lendemain, de méandre en défilé, le canot atteignit la splendide clairière que Talman déclara l'endroit idéal pour dresser un campement de plusieurs jours.

CHAPITRE III

L'orage terrifiant de la nuit, accompagné de pluies diluviennes, avait encore gonflé les marigots et transformé les terres basses en mer ; les lacs relayaient les marécages Par chance, l'endroit où avaient été montées les tentes la veille ne pouvait être inondé. Les chasseurs avaient gagné les hauteurs et dressé le campement sur un large plateau à l'ombre d'un énorme figuerra solitaire.

Lorsque Christine s'éveilla et entendit le pas de Joaquino puis la voix de son père, elle sortit la tête de sa tente. Dans la lueur des premiers feux de l'aube, les colibris voletaient autour du grand arbre mettant bruyamment les teintes vives de leurs plumages en compétition avec les couleurs éclatantes des aras jacassant dans les branches. Jouissant du charmant spectacle, la jeune fille aspira à larges bouffées l'air pur matinal, tout heureuse de n'avoir plus cet horizon borné sous les yeux. Le plateau dominait un tapis de verdures basses, coulant en pente douce vers l'immense étendue d'eau. Le versant sud, couvert d'arbres ployant sous les fruits, s'ouvrait sur un cortège de hauts palmiers buritys qui semblait longer quelque bréjo invisible cascadant vers un marigot. Le ciel et la terre, teintés de couleurs chatoyantes, frémissaient de vies cachées, résonnaient de chants.

— Gai ! souffla Christine. Et sa tête disparut derrière la

toile. Elle s'empressa de faire sa toilette et quelques minutes plus tard, gambada vers son père pour l'embrasser :

— Bonjour, papa !

Raymond Talman, qui admirait deux splendides fleurs dans sa main, leva les yeux, considéra un instant sa fille et dit, en détachant intentionnellement les syllabes :

— Bon-jour, Chris. Je me réjouis de ta mine resplendissante. Tu dors aussi tranquillement dans la brousse que dans ta chambre du Mas.

— Et pourquoi donc me gênerais-je ? s'exclama-t-elle. Ha ! j'ai faim, papa ! Quel est le menu ce matin ?

— Du requejaô avec notre dernier pain de froment.

Joaquino s'étant approché de son pas silencieux annonça avec un salut obséquieux que Christine abhorrait :

— Le thé de la donzella est prêt.

— Merci, fit-elle brièvement.

Elle se tourna vers son père en grimaçant gaminement du nez :

— Encore du requejaô, cet affreux fromage cuit ! Non, ne ris pas, je m'y ferai ! J'ai décidé de me plier à toutes les horribles exigences que tu ne manqueras pas de m'imposer, fût-ce pour m'éprouver !

— Bravo ! fit Talman. Et bon appétit, mon petit et n'oublie pas ta quinine. Mais, dis donc, pourquoi n'as-tu pas d'arme sur toi ?

— Comment ? Ici ? Et avec toi à deux pas ?

— Toujours ! enjoignit sévèrement Talman. Je te conseille de ne plus l'oublier !

— Voyons, papa ! protesta Christine. Ce plateau est un véritable paradis terrestre ! Ecoute les oiseaux et regarde ce ciel et ces fleurs et ces branches et...

— Regarde plutôt derrière toi ! tonna Talman.

— Ben quoi ? fit Christine en se retournant, saisie.

Un cri d'horreur lui échappa, elle bondit en arrière. A trois pas se déroulait un énorme serpent sur une branche du figuerra.

— Ne crains rien, dit Talman en éclatant de rire. Il nous fuit. C'est un sucury trop jeune pour oser attaquer l'homme... et surtout une femme qui hurle à faire frémir toute la forêt... Mais que cela te serve de leçon ! Ici l'on ne quitte pas ses armes et l'on doit avoir les yeux partout. Si ce reptile avait été adulte, à défaut de venin, ses anneaux t'auraient déjà broyée sur cette branche comme ma main broie cette superbe fleur.

Il glissa la seconde orchidée dans les cheveux cendrés de sa fille en recommandant d'une note adoucie :

— N'oublie jamais, Chris.

— Tu es là, papa, dit-elle confiante en opinant de la tête.

— Oui, ma chérie, acquiesça-t-il avec une caresse du doigt sur la joue un peu pâlie. Déjeune vite, il est temps de partir.

— Et que fera Joaquino ?

— Nous accompagner, bien entendu.

— Et le camp, on l'abandonne ?

— Bien sûr, petite ignorante ! Ce ne sont pas les fauves qui s'empareront de nos bagages, pas plus que ces alligators qui...

— Alligators ! Quels alligators ?

— Là, au bas de la colline.

— Au bas de... Santa Madona !

Elle se borna à cette exclamation, une manière de prière apprise de sa mère qui en disait long en la circonstance. Elle se hâta de déjeuner, traitant le dernier pain de froment — bien que considérablement rassis — avec égards ; elle ne laissa pas une mie se perdre. Combien de semaines ou de mois devrait-elle se passer de ce pain délicieux ?

Son père ferma les tentes, Joaquino couvrit les ustensiles assemblés d'une bâche dont il alourdit les extrémités sur le sol de pierres, afin qu'un reste de vent ne l'emportât pas ailleurs. Puis, Talman en tête et le vaquero fermant la marche, ils descendirent la colline par des lacets serpentant entre les bouquets de végétation parcourus la veille. Entre les deux hommes, Christine, le fusil en bandoulière, le revolver et la machette à la ceinture, allait bravement vers l'endroit où ils avaient abandonné la barque... et vers les alligators qui ne pouvaient manquer de les attendre. A sa grande surprise, le canot avait disparu. A sa place une colonie de palmipèdes s'ébattait bruyamment. Plus bas vers la droite, derrière un réseau de piris, les crocodiles attendaient, les museaux plats allongés au ras de l'eau. Talman prit à gauche. Un essaim de polvos, minuscules moucherons, s'abattit sur les chasseurs. Christine se débattit contre la masse bourdonnante qui semblait la prendre pour cible et jeta un cri de joie en découvrant la barque amarrée entre deux buritys à demi immergés. Ces hauts palmiers au bois pratiquement imputrescible, croissent nombreux près de toutes les eaux. Leurs très grandes hauteurs guident les animaux vers eux pour s'abreuver, et, en l'occurrence, les chasseurs assoiffés pour qui ils constituent aussi un point de repère dans l'uniformité des forêts. Se précipitant, Christine entraîna avec elle l'essaim de polvos et retrouva avec plaisir deux limas conservés de la veille qu'elle s'empressa de fendre en deux pour en répandre le jus sur son visage et chaque parcelle de peau nue, exposée aux morsures des cruelles bestioles. Talman et le serviteur s'enduisirent également et tous soupirèrent de soulagement. Les polvos, plus encore que les mosquitos blancos, paraissaient avoir le parfum citroné du limas en horreur.

Joaquino prit un léger sac à dos semblant avoir été préparé la veille et contenant le repas de midi. Après avoir rempli un bidon d'eau douce à une source, la petite caravane longea les contreforts de la colline boisée qui masquait encore la brousse dense. Le soleil dardait ses rayons violents ; Christine avait hâte de s'abriter à l'ombre des géants aperçus du haut du plateau. Lorsqu'ils les atteignirent, ils durent enjamber d'énormes troncs renversés par les récents orages, d'autres, morts et nus, couchés là depuis longtemps. Sinon les chants et les cris des oiseaux, la forêt semblait encore endormie. L'effroyable odeur des verdures dont les racines plongeaient dans l'humus pourrissant, étranglait les gorges. Les branches se serraient, formant peu à peu une voûte épaisse sous laquelle les plus fortes pluies ne pouvaient filtrer que goutte à goutte. La chaleur, prisonnière des futaies touffues, ne tarda pas à devenir suffocante.

Tout en avançant, Talman arracha des guayavas vert-jaune des branches et les passa à sa fille qui mordit à pleines dents dans la chair rose savoureuse et en glissa une provision dans un sac que son père lui avait conseillé d'emporter. Néanmoins la sueur ruisselait de son visage, effaçant les bienfaits du limas. Ici les mosquitos blancos remplaçaient les petits polvos, s'acharnant sur ses joues, son front, ses paupières. Elle s'enduisit du jus du dernier demi-limas et, prévoyante, glissa l'épluchure, vidée de sa pulpe, près des guayavas dans le sac... Qu'adviendrait-il de sa peau trop tendre si on n'allait plus trouver de limas ? Cherchant à se distraire de cette pensée peu réjouissante, elle se gourmanda. Qu'avait-elle à se lamenter ? N'avait-elle pas demandé... exigé que son père l'emmenât, bien qu'elle n'ignorait point les dangers et désagréments de pareil voyage ?

— Dis, papa ! s'exclama-t-elle. Comment la barque que

nous avions laissée contre le roc hier soir, a-t-elle déménagé entre les buritys ?

— Ha ha ! fusa la réponse. Ne t'avais-je pas dit que l'eau, le soleil et le vent accablent ? En quittant le canot hier soir, tu flageolais sur tes jambes, tu as dîné en sommeillant et tu as pénétré dans ta tente en dormant. Je suis sûr que tu ne t'es même pas aperçue de notre absence. Je n'avais pas cru devoir te dire qu'un terrible orage s'annonçait et que la prudence commandait de mettre la barque en sécurité. Il a tonné au-dessus de nos têtes à faire éclater la forêt ! Depuis que je suis en âge de m'en souvenir, je n'ai jamais assisté à pareil fracas !

— Tu veux dire que... que...?

— Que tu étais tellement profondément endormie que tu n'as rien entendu. Heureuse jeunesse ! Ha, que je t'envie !

— C'est ça ! Plains-toi ! A te voir allonger les jambes et sauter les obstacles, tu parais plus jeune que moi !

— Question d'habitude ! Dans deux, trois jours tu seras aguerrie ; tu trotteras et sauteras les obstacles plus lestement que moi.

Ils contournèrent un petit marais en silence, l'attention tendue à ne pas glisser et s'enliser, car à peine les pieds pris dans la vase, une lente succion aspire irrésistiblement la victime vers le fond. Deux jacarés immobiles contemplaient de leurs petits yeux sournois tour à tour les chasseurs et un groupe de palmipèdes qu'ils savaient en éveil, mais trop rapides pour que leurs horribles dents pussent les saisir.

— Mâtin ! jeta Christine lorsqu'ils eurent tourné le dos à la vase et ses dangereux occupants. Et moi qui croyais que nous étions venus ici pour chasser ! Tu n'as même pas levé la carabine pour t'approprier les peaux de ces deux gentils crocodiles ; et je n'ai pas encore vu un... chat ! sauvage ou non, dans ce charmant pays !

Talman siffla un bout d'un petit air à la mode, puis déclara :

— Tu as les yeux bandés, mon petit ! Et j'ai bien peur que tu ne me sois pas d'un très grand secours ici. Nous avons à peine marché trois quarts d'heure et j'ai déjà aperçu six serpents assez appréciables, deux pumas, quatre ariranas et, au loin, une colonie de cochons sauvages que je n'ai pu dénombrer et dont nous devons fuir la compagnie; au moindre bruit ils déboulent comme des lapins... mais en exterminant *tout* sur leur passage. Maintenant retourne-toi. Tu verras que nous sommes suivis par un jaguar.

— Comment ? haleta Christine. Mais... mais papa !

— Quoi donc, mon petit ?

— S'il... s'il allait attaquer, papa ? S'il allait nous...

— Ne crains rien. Il ne te mangera pas. Il n'a pas faim.

— Pas faim ? Comment... sais-tu... ?

— Parce que s'il avait eu faim il t'aurait *déjà* mangée.

Christine avala sa salive. N'osant plus répondre, elle avança en sautillant, regardant plus souvent derrière elle que devant. Puis voyant le rictus moqueur du Portugais, elle n'osa plus se retourner. Son père se remettant à siffler, elle se sentit rassurée et redressa la tête, poursuivant allègrement sa marche harassante... Elle n'avouerait point son extrême lassitude ! Elle ne se plaindrait point de la sueur qui l'inondait ! Personne ne saurait de quel manque d'air elle souffrait ! Même se refusa-t-elle de demander une gorgée d'eau pour endiguer son étouffement ! Elle reprit avec une pointe d'ironie :

— Quand commencerons-nous la chasse ?

— Après le repas du midi.

— Comment ? Et il n'est encore que dix heures du matin !

— Dix heures un quart, rectifia calmement Talman. A quoi bon traîner le poids des peaux toute la journée ? Reconnaissons d'abord les lieux et, après un bon repas, nous nous mettrons à l'ouvrage en retournant au camp.

— Eh ! Et quand espè... penses-tu être de retour au camp ?

— Tôt ce premier jour, rassure-toi. Il faut s'acclimater progressivement à la rude ambiance. Aujourd'hui nous déjeunerons à onze heures et demie et serons rentrés vers cinq heures ; tu auras mérité ton repos. Demain nous déjeunerons à midi et rentrerons aussi une demi-heure plus tard ; nous finirons par travailler douze et même quatorze heures le jour ; il nous restera le temps de préparer un bon dîner avant de pouvoir songer au repos. Ce solide repas du soir est indispensable pour nous maintenir en forme et résister aux tortures du climat. Et maintenant un bon conseil, Chris : tais-toi ! Ta gorge sera moins sèche !

— Mais... ce jaguar derrière nous ? souffla-t-elle encore.

— Il ne nous suivra plus longtemps. Son terrain de chasse

st riche en toutes sortes de gibier ; pourquoi s'en éloignerait-il ?

Ce raisonnement semblant logique, Christine s'efforça d'oublier le jaguar. Du reste, son esprit en éveil fut sollicité par bien d'autres choses.

Ils s'étaient engagés dans un ravin tortueux et sans fin. Dans ce paysage bouché, fait de fondrières et d'arbres spectraux dont les branches entrelacées formaient une voûte épaisse, ils cheminaient lourdement, mais néanmoins d'un pas rapide. La piste, tracée par les animaux sauvages, éveillait une foule de pensées dans le cerveau de Christine. Taisant son inquiétude, elle promena des yeux effarés sous les futaies, attentive au moindre souffle. La montagne, semée de rocs, fit un coude. Christine s'arrêta, attendrie par le spectacle reposant et inattendu. Un campero mâle, à la fourrure brun-fauve, attendait près d'une eau dans une trouée de lumière tandis qu'une dizaine de gracieux chevreuils s'abreuvraient ; l'œil vif du mâle épiait les alentours craignant qu'un danger ne surgisse ; il n'avait pas encore aperçu les chasseurs. Talman attira sa fille derrière une haie d'arbustes, tandis que Joaquino s'accroupit derrière un moignon d'arbre dont le tronc brisé pourrissait dans la tourbe.

— Repose-toi un peu, Chris.

Ils n'étaient éloignés que d'une dizaine de mètres de la piste lorsque Christine saisit sa carabine et faillit lâcher un cri ; elle épaula, mais pourtant ne tira point. Le jaguar était apparu derrière le rocher ; il les avait suivis durant plus de deux heures !

Immobiles, les chasseurs l'observaient. Ses flancs creux battaient, dessinant ses côtes sous son pelage roux taché de noir.

— Il est blessé, souffla Talman. Et *il-a-faim !* La brute nous devine plus lents que les bêtes et attendra que notre fatigue lui permette de nous attaquer, ha !

Le campéro près de l'eau vit le jaguar avant que celui-ci eut le temps de songer à une autre proie que les hommes dont l'odeur le tenaillait. Le frêle animal poussa un cri de terreur et, d'un bond éperdu, s'enfuit dans les fourrés, suivi de sa harde gémissante. Le jaguar dressa la tête ; sa faim étant plus forte que sa douleur, il oublia les hommes et se ramassa sur lui-même...

— Tire ! enjoignit Talman, qui tenait aussi le fauve en joue.

Le coup éclata avec un claquement terrifiant ; la faune cachée s'égailla, filant avec une vitesse innommable dans les branches et les broussailles. Le jaguar ne bougeait plus.

Et un silence effroyable s'installa. Il semblait bien que les chasseurs avaient choisi la région la plus barbare, mais aussi la plus riche en toutes sortes de gibier et en fruits.

— Magnifique, Chris ! s'écria Talman. Seulement deux coups de fusil ont été tirés jusqu'ici et cela par toi. Tous deux ont tué net ! Tous deux sont de valeur !

— Possible, bredouilla Christine. Mais j'aimerais ne pas m'attarder ici, papa ; nous sommes pour ainsi dire acculés contre le roc.

Ils passèrent près du félin sur lequel, déjà, Joaquino s'acharnait en marmonnant des imprécations :

— Demonios ! Nous tuerons tous les demonios de ton espèce! Tous !

Il l'écorcha en un temps record et enroula la dépouille sanguinolente, tandis que Talman et Christine s'éloignaient vers le lac. Le soleil s'y mirait dans toute sa splendeur ; sa violence endolorissait les paupières. Talman reprit :

— C'est un grand jaguar tigré, aussi appelé : « onça pintada ». Ses griffes te donnent une idée de la puissance de pareil animal.

Christine s'assit sur une roche, retira ses bottes et laissa jouer ses pieds brûlants dans l'onde bienfaisante ; elle s'en trouva mieux rafraîchie que si elle avait avalé trois grands bols d'eau. Mais elle soupira : il n'était pas encore onze heures !

— Nous mangerons ici, dit Talman, conscient de sa lassitude. Cela ne fera qu'une heure d'avance et comme nous avons déjà une belle pièce...

Il acheva la phrase d'un geste vers la peau enroulée que le vaquero avait suspendu à une branche hors d'atteinte des carnivores.

— Viens, bébé, rit Talman en saisissant sa fille dans ses bras. Je te porte au bord de ce joli petit lac entre les rochers où nous serons à l'abri des grands et petits affamés qui ne manqueront pas de venir se disputer le copieux repas que tu leur as servi !

— Brrr ! gronda Christine en enfouissant ses yeux dans le cou de son père.

— Çà, par exemple ! fit Talman avec une feinte indignation. Es-tu ici pour chasser, oui ou non ?

— Eh bien... oui, admit-elle hésitante. Mais, c'est... c'est un jeu cruel... que... qui me répugne !

S'attendant à une verte réprimande, elle s'étonna d'entendre la voix calme :

— Bien sûr, ma petite Chris. Je le savais. Je l'avais prévu. Mais, maintenant que tu y es, la question c'est de savoir si tu le regrettes ou non ?

Elle réfléchit, les yeux baissés vers ses pieds qui s'étaient remis à taquiner l'eau tranquille :

— Je n'ai rien à regretter ! Je m'aguerrirai !

— O. K. Revenons à ton jaguar. Son odeur attirera les fauves de lieues à la ronde ; nous n'aurons plus qu'à nous embusquer, à attendre et à tirer ; nous rentrerons au camp très tôt et avec un riche butin de fourrures. Dans ce cirque rocailleux les animaux n'osent fuir très loin après les coups de fusils ; cela nous épargnera des déplacements inutiles. Dans quelques heures nous saurons si l'endroit vaut la peine d'être reparcouru demain.

— Serait-ce possible qu'il y ait tant de fauves et de gibier assemblés ?

— N'as-tu pas entendu tout ce qui a fui au claquement de ton fusil ? Les fauves, qui ont échappé aux inondations, se sont groupés sur ces hauteurs où leur est offert le lac le plus limpide du monde pour s'abreuver. Où peuvent-ils être mieux, en dépit de la promiscuité dangereuse ? Ne sont-ils pas tous et toujours pourchassés les uns par les autres ? Mais peut-être ne craignent-ils pas l'homme, pour la simple raison qu'ils n'en ont jamais vu. Ils sont rares, les chasseurs, qui s'aventurent si loin dans le Seringal ; ils trouvent du gibier dans les forêts plus accessibles. Ce n'est qu'à cette époque-ci et en cet endroit qu'on découvre les plus belles pièces et... c'est de telle manière que la chasse devient un sport appréciable pour celui qui doit reconstituer ses biens.

— Fi ! Ce n'est pas pour rien que maman te traitait de « casse-cou » !

— Tu es bien sa *fille,* ma Chris. *Notre fille !*

Bannissant son trouble, il appela d'une note rude :

— Hé ! Joaquino ! On mange ! Apporte des galettes de manioc, des boîtes de sardines, un quart de vin et fais rafraîchir un flacon de limonade dans l'eau pour la donzella !

Le serviteur vida son gobelet de guarana et, jetant un regard de biais à Christine, s'accroupit au bord du lac pour se rincer les mains.

Ses expressions cauteleuses, voilées par la fumée de ses grands cigarros qui s'éteignaient et qu'il rallumait sans cesse, déplaisaient à Christine.

Et soudain elle craignit cet homme. Elle n'osait plus guère demeurer seule avec lui.

Elle se rechaussa et rejoignit en hâte son père.

CHAPITRE IV

Les chasseurs achevaient leur repas. Parmi les roseaux, les arbustes et les branches, les fourmillements avaient repris, attisés par l'odeur fade du sang qui se percevait partout. Au-dessus de la clairière naviguaient silencieusement quatre énormes condors ; quand un couple de jaguars approcha, les vautours se posèrent sur la plus haute branche d'un taruma où ils attendraient que les carnivores achevassent leur festin. A l'autre bout de la vallée parut un grand félin. Le poil roux hérissé de jalousie, il se coucha et rampa dans leur direction. Les jaguars se tournèrent vers lui, mais, sûrs de leur puissance, ils poursuivirent tranquillement leurs agapes.

— Voilà un convive trop lâche pour réclamer sa part, chuchota Talman. Il attendra d'assouvir sa faim que les jaguars soient repus.

— Quelle bête est-ce ? demanda la voix éraillée de Christine.

— Un puma, une sorte de lion sans crinière. Sa peau a moins de valeur que celle du jaguar, mais elle vaut quand même une balle. Si notre butin est riche, nous l'offrirons au cacique, le chef du toldo indien que nous irons saluer sur notre chemin de retour.

— Mais... oooh, regarde, papa ! Il se détourne ! Il semble vouloir contourner le lac ! Mais oui, il vient par ici !

— Pas un seul mouvement ! enjoignit Talman dans le langage du Portugais. Il a flairé notre présence et poussera la curiosité jusqu'à venir repérer notre emplacement ; mais il n'osera attaquer. En dépit de sa taille et de sa force qui rivalisent avec celles des plus grands jaguars, les pumas sont de l'espèce des lâches. Laissons-le approcher et, en attendant, épaule ton fusil, Chris ; vise le jaguar de droite, moi je prends celui de gauche. Ne tire qu'à mon commandement ; nos balles doivent toucher leur but à la même fraction de seconde.

— Dame ! De quoi laisser filer ton puma et la peau de ton ami indien !

Talman sourit, mais jugeant l'instant favorable, il commanda :

— Feu !

Deux balles partirent d'un seul coup suivies d'une troisième qui fit bondir Christine. Dans le chaos des échos et des fuites régnant alentour, elle comprit que son père avait aussi abattu le puma. Il gisait, mort, au bord du lac, tels les jaguars étendus sans vie près du cadavre que leurs horribles mâchoires étaient en train de déchirer.

— Quel... carnage, murmura Christine en couvrant ses yeux de ses mains.

Talman n'eut pas le temps d'exprimer son indignation. Le rire rauque de Joaquino avait éclaté, clamant une nouvelle victoire ; sa face olivâtre grimaçait d'une joie sauvage. Saisie, Christine le regardait courir entre les palmaghies, insouciant des feuilles épineuses qui lui arrachaient la peau des mains et sourd aux craquements mous des bambous bruns brisés qui achevaient de se putréfier dans la vase prête à le happer. Saisissant son façao — long couteau plat qui, dans une main experte telle que semblait l'être celle de Joaquino — se prêtait à tous les travaux, il se mit à écorcher le puma. Avant que la peau ne fût détachée, la faune tremblante, trop affamée pour abandonner la chair fraîche à sa portée, s'était remise à vivre ; des plaintes montaient, des gémissements, des menaces, des jappements d'envie. Soudainement un feulement prolongé fit taire les plus faibles... puis les voix revinrent de tous les côtés à la fois.

« Je m'aguerrirai », avait dit Christine...

Son cœur battait à se rompre. N'avait-elle pas eu tort de rejoindre le chasseur ? Quelle est la jeune fille de vingt ans qui accepterait d'entreprendre pareille randonnée ?

Mais elle se reprit. Son père lui faisait confiance : il devait pouvoir compter sur elle.

— Papa ! souffla-t-elle. Là !

Deux bêtes rampaient vers les cadavres des jaguars. Elles tenaient de l'hyène le dos incliné des épaules à la queue, mais portaient sur la nuque courte une tête étrange. A trois mètres des corps, leurs yeux de brume se mirent à luire comme des agates. Tout proche un chevreuil rayait une plainte d'agonie. Les têtes affreuses se baissèrent, les corps s'écrasèrent au sol de peur. Mais, ricanantes d'envie, elles se redressèrent et s'insinuèrent sous les fougères d'où elles pouvaient atteindre le cadavre entamé sans être vues. Elles commencèrent par déchirer une cuisse. Un rauquement impérieux arrêta leur dévoration. Secoués de spasmes de crainte, d'indignation et de fureur, les deux inconnus se tournèrent vers l'intrus... Ils reculèrent, lui abandonnant la chair.

La panthère noire bâilla. Ses canines jaillissaient comme des poignards sous ses lèvres retroussées ; son souffle courbait les fougères. Connaissant sa puissance, les habitants des forêts se taisaient ; les vautours sur les branches, veillaient, immobiles, les longs cous ployés. La panthère abattit ses griffes sur l'un des derniers jaguars tombés, mais elles n'eurent pas le temps de déchirer le pelage : un coup de fusil la jeta, morte, sur sa proie.

— Il est temps de nous mettre en sécurité avec les fourrures, dit Talman en promenant le regard sur les verdures et les rocs, dont chaque recoin semblait cacher un être affamé. Montrant du doigt un trou dans la paroi, il poursuivit en portugais :

— Joaquino, voilà une petite grotte d'où nous pourrons te couvrir pendant que tu détacheras les peaux... à moins que...

Il trancha sa phrase, considéra gravement Christine et reprit :

— A moins que tu te sentes de taille à nous couvrir tous les deux, Chris ? Le temps presse ; je pourrais donner un coup de main.

En riant, le Portugais s'était remis à l'ouvrage . Christine ferma un instant les yeux ; puis elle posa son regard, clair et décidé, dans celui de son père, en affirmant sans fêlure dans la voix :

— Je suis prête, papa.

L'index de Talman jeta une tape amicale sur le bout du

nez de sa fille ; d'une main experte il ficela la peau du puma et jeta le bout de la corde au-dessus d'une enfourchure pour hisser la dépouille hors d'atteinte des bêtes. Il conduisit Christine vers l'ouverture dans le roc et l'inspecta soigneusement à l'aide d'une torche électrique. Vide, peu profonde et d'ouverture étroite, elle offrait toutes les garanties voulues. Talman jeta un regard confiant à Christine et s'éloigna. Elle était seule... En outre, elle était responsable de deux vies.

Les quelques minutes passées dans ce cirque borné, avaient fourni des preuves édifiantes du danger qui y rôdait. Les oreilles aux écoutes, les yeux aux aguets, Christine redressa le buste : son père devait pouvoir compter sur elle ! N'était-ce pas la meilleure manière d'aguerrir son cœur trop sensible dans la voie qu'elle s'était choisie ?

L'odeur des végétaux surchauffés passait dans l'air... avec un rauquement prolongé montant des profondeurs boisées ; des chats sauvages miaulaient sourdement ; un crapaud-buffle coassait dans les bambous géants aux bords des terres immergées. Christine tressaillit au bruissement des feuilles, aux reptations confuses sur le sol, aux bruits sourds dans les fourrés. Baignée dans sa sueur, elle écoutait craquer les rameaux... un corps mou approchait en écrasant les arbustes. A la même fraction de seconde, trois jaguars descendaient du versant opposé. Christine savait qu'un énorme reptile approchait de la grotte, elle songeait à un boa aquatique qui atteignait parfois plus de dix mètres de longueur. Serait-il sorti du lac où elle s'était si tranquillement baigné les pieds ? Elle frissonna. Consciente du double danger immédiat, elle ne put hésiter davantage et hurla :

— Papa ! ! !

En même temps son fusil claqua. La tête du reptile éclata à deux mètres d'elle ; le cerveau de Christine enregistrait les images à la vitesse de l'éclair : son père épaula en direction des jaguars, le coup partit... Les bêtes s'étaient embusquées. Affolée, Christine courut vers les hommes. Quatre yeux luisaient sous les fourrés ; deux bêtes rampaient en avant, la troisième semblait avoir été foudroyée. Saisis, en voyant les hommes, les deux jaguars s'arrêtèrent... la brève hésitation leur serait fatale. Christine appuya sur la gâchette, le félin tressaillit, mais il se ramassa sur lui-même et bondit... Blessé, son saut fut trop court, il n'atteignit pas les hommes. Talman l'acheva et, d'une seconde balle, étendit le troisième jaguar, prêt à l'attaque.

Bouleversée par le double drame inattendu, Christine se jeta dans les bras de son père ; mais il la repoussa rudement :

— Du cran, que diable ! Ce n'est pas le moment de faiblir...

Il inspecta attentivement les alentours, puis sourit à sa fille. Un silence de mort régnait.

— A quoi était destinée ta première balle, Chris ?

— Va... voir, fit-elle désemparée. C'est... c'est...

Talman l'entraîna vers la paroi rocheuse. Comme frappé par la foudre, il s'arrêta, les yeux exorbités, en voyant l'énorme cadavre. Ce fut lui-même qui saisit sa fille dans ses bras en murmurant, le souffle court :

— Un... anaconda ! Un boa aquatique ! Gros comme un gros tronc d'arbre et ayant atteint toute sa maturité ! Et... là-bas, trois jaguars à la fois ! Eh bien, je crois que nous l'avons échappé belle, ma courageuse petite fille. Sans toi...

Il laissa la phrase en suspens. Le rire féroce de Joaquino attirait leur attention ; il découvrait hideusement ses gencives édentées. Les forces décuplées par la joie, il se jeta vers les nouvelles proies et les tira près des autres bêtes abattues autour desquelles tournait une myriade de mouches. Ecœurée, Christine se détourna ; son père soupira. Il abhorrait l'exubérance du serviteur, se demandant ce qu'elle cachait. Mais le moment n'était point aux méditations ; l'endroit, extrêmement dangereux, devait être fui au plus vite, non sans emporter les peaux des pièces abattues. Christine comprit qu'elle devait regagner la grotte et les hommes reprirent leur travail. Leur ardeur nerveuse et l'atmosphère de serre chaude firent ruisseler leurs corps de sueur.

Des émanations fétides rampaient sur le sol, se répandaient dans l'air, montaient vers le ciel où, à présent, les branches ployaient sous le poids des condors.

Un grand renard roux descendait silencieusement sur une piste au delà du cirque et s'arrêta à une vingtaine de mètres des hommes. Derrière lui, à demi caché par les fourrés, parut un troupeau entier que la jeune fille ne put dénombrer ; elle les devinait tellement nombreux que, s'ils se décidaient à l'attaque, trois fusils n'y pourraient tenir tête. Ignorant les mœurs de cet ordre d'animaux sauvages, elle ne vit qu'un seul moyen de les éloigner. Elle eut la chance de pouvoir abattre, d'une seule balle, l'avant-garde qui conduisait le troupeau. Au bruit du coup de feu, dont les échos fabriquaient une pétarade de mitraillette, la horde s'égailla, mais revint aussitôt.

— Que se passe-t-il ? demanda Talman.

— Un grand renard roux ! Mais beaucoup d'autres le suivent !

— Tiens-les à distance encore quelques minutes !

Santa Madona ! Cela semblait facile pour ceux qui ne les voyaient pas ! Un chat sauvage s'abattit tout à coup sur les fougères près de Christine. Au loin montaient des cris de meurtre, des voix de triomphe, des râles d'agonie. Les renards glapissaient. Ils approchaient, hésitants ; la proie était là, abondante ; la faim éternelle exaltait leurs désirs, ils grondaient de convoitise. Tournant le dos à Christine, le chat sauvage s'insinuait timidement sous les fougères. Au grondement des renards, il se recroquevilla, et, avec des soubresauts de fureur, rampa en arrière.

Les renards, connaissant leur nombre, se préparaient à combattre. Attentifs, ils évaluaient les forces inconnues des hommes qui tenaient la chair convoitée... l'ennemi étrange dont ils ignoraient les pouvoirs. Une bête majestueuse avança de quelques pas, recula, hésita, mais revint ; d'autres suivirent.

L'attaque devint imminente ; plus rien ne retiendrait la meute affamée. Pourtant, Christine ne tremblait point ! Son sang bouillait d'indignation dans ses veines et, entre les montagnes boisées, l'ampleur de sa voix prit des proportions gigantesques :

— Dites donc, Raymond Talman ! clama-t-elle peu respectueusement dans sa colère. Si vous avez l'intention de vous laisser dévorer par cette meute, libre à vous ! Mais vous n'avez pas le droit d'exposer d'autres vies ! Retirez-vous !

Surpris par la résonnance de la voix humaine, les renards s'arrêtèrent. Talman éclata d'un rire sonore, ajoutant à leur confusion, et répliqua d'une voix de tonnerre, amplifiée par l'écho :

— Crie encore, Chris ! Crie, hurle, braille de tous tes poumons ! C'est la meilleure façon d'effrayer ces chiots tremblants !

— Chiots !!! Tu oses les traiter de...?

— Parbleu ! Regarde-les donc ! Il n'y a pas plus couards dans tout le Seringal !

La phrase cynique en pareil instant de danger, loin de calmer la colère de Christine, l'accrut ; sa voix sonnait comme une cloche :

— C'est de la folie ! Fuyez ! Ils sont trop nombreux ! Ils ne reculeront devant rien !

— Et si tu tirais dans le tas, hein ? railla son père sans arrêter de travailler ni lever les yeux. Peut-être se contenteraient-ils des cadavres de leurs congénères et nous oublieraient-ils ?

Christine rougit de dépit de n'avoir pas songé à ce stratagème. Elle se mit à tirer coup sur coup, vidant le chargeur de la culasse et rechargea vivement son fusil... en considérant avec horreur et satisfaction à la fois, les renards, se disputant les dépouilles de leurs semblables. Encore une fois la fusillade nourrie avait calmé la faune. Le chat sauvage, caché non loin de la grotte, fixa ses yeux verts, brûlants de convoitise, dans les siens, puis se tournèrent vers le corps du boa aquatique.

— Hé hé ! fit *in petto* la jeune fille. Si les grands renards roux ne sont que des chiots tremblants, ce chat sauvage n'est qu'un minet affamé. Mais, tout doux, mon mignon ! N'abîme pas la peau de ce joli petit serpent ! Attends que je te serve moi-même une entrecôte.

Christine jeta un rapide coup d'œil vers les renards roux qui semblaient satisfaits des parts qu'ils s'étaient attribuées. Son regard vif inspecta tout le cirque ; rien ne bougeait encore.

Elle avança, la machette à la main, vers l'eunecte. Brrrr ! Elle n'aimait pas du tout le travail auquel elle se préparait ! Pinçant les paupières et se mordant la langue, elle trancha violemment la tête déchiquetée. Ouf ! Le plus affreux était fait ! Elle coupa une belle tranche du reste du grand morceau de viande... dame oui ! un formidable rôti, sans plus ! S'aguerrir, voilà le secret... mais hélas !

Bien que Christine ne fut plus qu'à trois pas du chat, celui-ci ne reculait point. Il ne semblait guère craindre sa présence, pas plus qu'il n'avait craint ses coups de fusil ni sa voix en colère. C'était un chat intelligent, capable de comprendre que tout le tumulte provoqué par l'animal vertical qu'était Christine, imposait silence à la forêt bien qu'il ne semblait point redoutable pour lui-même et qu'il ne lui disputait pas la proie convoitée. Emotive, elle le jugea sympathique et lui jeta la tranche, le récompensant de sa confiance. Il sauta en arrière, leva une patte hésitante et revint, alléché par l'odeur.

— Bien sûr, dit doucement Christine. C'est pour toi, Minet. Allons, prends-le, tu en auras d'autres. Je ne te ferai pas de mal, voyons, tu sais bien que je ne te ferai pas de mal. Soyons amis, veux-tu ?

Il froissa son museau et souffla de peur... mais tendit le cou. Il promena le nez sur la chair fraîche, y cherchant l'odeur de la main humaine qui la lui avait tendue et, sans encore se méfier, il se mit à dévorer.

Christine sourit. Elle découpa une autre tranche et se redressa, désirant avant tout inspecter les alentours où la vie semblait renaître. Effectivement, d'autres bêtes avaient attaqué les renards roux, dont quelques-uns s'étaient écartés, laissant les plus vigoureux combattre à leur place. Quand une autre panthère noire s'approcha, tous s'enfuirent, en poussant des cris de rage. Superbe et dédaigneux, le félin enleva un cadavre et disparut dans les fourrés, laissant avec indifférence les renards reprendre leurs places en glapissant de joie. Un jaguar surgit ; ils reculèrent. Le puissant animal s'installa, certain de n'être point dérangé par les renards craintifs. Rusés, ceux-ci contournèrent les buissons, s'insinuèrent sous les verdures basses et atteignirent deux corps qu'ils emportèrent près du lac à l'ombre des bambous.

Talman rassemblait les peaux ; Joaquino finissait d'écorcher la dernière victime. Dans les feuillages les luttes sournoises reprirent.

Le bras tendu, Christine fit un pas vers le chat sauvage, offrant la nouvelle tranche de chair. L'animal se dressa sur ses pattes épaisses ; il balançait la queue en se pourléchant les babines et en fermant à demi les yeux.

— Tiens, en voici encore. Ha, que tu es beau et souple ! Allons, accepte, accepte, joli Minet.

Il se tendit, huma lentement la chair et les doigts à la peau rose délicate ; ses flancs creux battaient d'envie. Christine retira un peu la main, il fit un pas vers elle, puis un autre et la suivit. Elle ne s'arrêta qu'en atteignant son poste de guet et lui abandonna le morceau. Il se coucha à ses pieds et commença tranquillement à manger.

La jeune fille ne put en croire ses yeux. Toute méfiance semblait bannie. Elle tendit une nouvelle tranche qu'il semblait attendre et accepta comme la précédente. Elle posa doucement la main sur sa tête. A cet attouchement inattendu, tout le corps du félin se crispa, mais se détendit aussitôt. Les doigts de Christine caressèrent timidement la nuque derrière les oreilles. Il attendit de mâcher, se tendant vers la main et ferma les yeux en ronronnant de bonheur.

— Ainsi... nous sommes *amis*... *Amis*, Minet... *amis*...

Il semblait aimer la musique de la voix inconnue, son

épaisse queue souple ondulait en tous sens. Un renard glapit ; Christine bondit sur ses pieds en brandissant sa carabine. Le mouvement violent n'effraya point le chat sauvage, il ne bougea pas. La confiance fut complète.

Talman et Joaquino, lourdement chargés, vinrent vers la grotte. Les froissements, dus aux bêtes errantes, emplissaient la forêt, le lac, l'univers. Un autre renard glapit. Talman le vit et le tua. De nouveau tout se replongea dans le grand silence des pièges où l'arme inconnue de l'homme était roi. Le vaquero chercha la bête pour la défaire de sa splendide fourrure ; son maître abattit encore six grands renards roux ; ils livraient des dépouilles somptueuses.

— Voilà ce que j'appelle des heures bien remplies ! s'écria le chasseur satisfait. Il ne nous reste plus qu'à détacher la peau de ce colossal ophidien et à rassembler notre butin pour le porter au camp où Joaquino préparera les peaux pour les sécher.

Stupéfaite, Christine interrogea son père :

— Comment pourrions-nous traîner tout ça si loin ?

— Détrompe-toi, mon petit, dit-il en sortant une boussole de sa poche. Nous avons fait un très grand détour pour atteindre cette vallée afin de reconnaître les richesses des lieux. A vol d'oiseau, le camp est à moins d'*une* heure d'ici. Mais... vite, Chris !!! Sauve-toi ! Vite !

Braquant sa carabine, il n'arrêta pas de crier :

— Sauve-toi donc !!! Derrière toi il y a...

— Un chaton ? fit-elle malicieusement en prenant le chat sauvage dans ses bras.

— Quoi ? Qu'est-ce que...

— Je te présente mon ami : « Minet », papa !

— Tu... tu n'es pas folle ! Ce... cet horrible chat sauvage est...

— Ce charmant petit chat, veux-tu dire, est apprivoisé. Faut croire qu'il se sent mieux en sécurité en ma compagnie qu'en gambadant dans les forêts où la mort le guette à chaque tournant.

— Apprivoisé ? Diable, je dois me rendre à l'évidence ! En voilà un qui a de la veine ! Dès son jeune âge — car il n'a pas atteint sa maturité — se trouver sous la protection d'un bon fusil ! Reste à voir s'il daignera te suivre. Et dans ce cas, que comptes-tu en faire ?

— Le garder ! le soigner ! le protéger ! le dorloter !

Talman sourit, un peu attendri.

— Pour te dédommager de toutes les bêtes que tu...
— Oui, oui, oui ! trancha-t-elle violemment.

Joaquino, qui n'avait rien compris à la conversation, demeura bouche bée en considérant le chat sauvage ronronnant sous la main caressante de la donzella. Soudain il s'exclama en tendant un doigt menaçant :

— Il est de la race des demonios qu'il faut extirper ! Il doit mourir ! Sa peau ne vaut pas un conto !

— Gare, si tu y touches ! clama Christine, cramoisie de colère. Défends-le-lui, papa ! Défends-le-lui !

— Est-ce clair ? éclata Talman. Ce chat sauvage n'est plus sauvage ! Il est apprivoisé et appartient à la donzella ! Tu le lui laisseras et « VIVANT » ! Compris ?

Le serviteur baissa le nez, non sans avoir jeté un regard meurtrier au félin, dont la race semblait être son pire ennemi. Sournois, il se détourna pour reprendre son travail. De son façao inséparable, il coupa deux solides bambous auxquels il attacha les peaux d'une main experte ; puis il annonça d'une voix belliqueuse en s'inclinant :

— Tout est prêt pour le retour au camp de la donzella et son chat apprivoisé.

Furieuse, Christine ouvrit la bouche pour protester, mais elle se ravisa et se tut en voyant son père pousser rudement l'homme en avant :

— Ramasse ! et va devant !

Chargeant lui-même un bambou sur l'épaule, il ployait sous le poids. Il appela sa fille :

— Reste près de moi. La piste est assez large pour marcher à deux de front. Incroyable ! poursuivit-il. Cet homme semble fourbe ! Mais je n'ai jamais vu à l'œuvre des mains aussi adroites que les siennes ! Grâce à sa rapidité extraordinaire, nous serons de retour au camp avant trois heures de l'après-midi ! Et, grâce à toi, avec quel butin !

— Mmmm, fit Christine. Veux-tu dire que maintenant que moi j'ai ce bonhomme en horreur, toi, tu ne regrettes pas de l'avoir engagé ?

Talman n'hésita pas longtemps :

— Je dois reconnaître que je n'aurais pu trouver une meilleure aide et sûrement s'y connaît-il tout aussi bien pour la préparation des peaux. Quant à son caractère... ben... peut-être pourrais-tu essayer de le dompter comme tu as dompté ce chat ? Les chats aussi ont la réputation d'être faux !

— Mon... ô mon chat ! s'écria Christine affolée. Je l'ai... ô papa ! c'est affreux ! Je l'ai oublié !

— Pas lui, ma chérie. Il te suit tel qu'un chien suit son maître, fidèle et confiant. Dis donc, que lui as-tu fait pour obtenir si vite pareil résultat ?

Toute joyeuse, Christine se baissa pour caresser l'animal qui levait de grands yeux confiants vers elle :

— J'ai... oui, fit-elle après s'être mordu la lèvre ; j'ai été bonne pour lui, je l'ai nourri, je l'ai caressé, et...

— Et sa confiance en toi te prouve sa reconnaissance. Ha ! Si les humains pouvaient comprendre pareille leçon !

Soudainement inconsciente de l'atmosphère pesante, de la sueur qui la baignait, de son extrême lassitude et de sa gorge desséchée, Christine marchait allègrement et le cœur en fête.

A ses côtés trottait un chat sauvage... un CHAT SAUVAGE, « qui la suivait comme un chien suit son maître », fidèle et confiant.

CHAPITRE V

Les chasseurs quittèrent la vallée giboyeuse par la piste qui les y avait conduits. Sachant quel travail les attendait avant de pouvoir songer au repos, Raymond Talman indiqua à Joaquino la direction à suivre afin qu'ils atteignissent le camp au plus tôt... La sente menait vers les contreforts de la montagne puis s'effaça brusquement ; simultanément la lumière et tout bruit s'éteignirent, les inondations coupaient le chemin. Des odeurs nauséabondes montaient des grandes étendues d'eau piquées d'arbres, noircies d'humus et striées de traînées gluantes des corps en décomposition. Pourtant, si les chasseurs furent obligés à de grands détours, les marais éloignaient aussi les animaux dangereux. Il était peu probable que ceux-ci viendraient rôder jusqu'ici où, sous le dôme fermé des verdures ne poussaient pas la moindre herbe ni arbuste dont se nourrissent les cervidés et les petits mammifères qui constituent les repas des fauves.

Les bottes s'enfonçaient mollement dans la tourbe et, quelquefois s'embrouillaient dans les lianes des énormes quebrachos. Nul bruit n'éveillait la sombre forêt vide, sinon, tout là-haut, les craquements des branches sous le lent déplacement des bradypes — ou *paresseux* — qui broutaient les feuillages et dont on devinait les présences sans qu'il fût possible de les distinguer des verdures avec lesquelles se confondaient leurs lourdes fourrures pleines de vermine.

Retardés par de grands détours, les chasseurs rejoignirent le camp deux heures plus tard que prévu. Les vêtements déchirés et souillés, le visage et les mains contusionnés et le corps ruisselant de sueur, Christine, infiniment lasse, n'eut cependant pas une plainte.

— Ne t'assieds pas, conseilla son père en laissant choir le bambou chargé de peaux, sur le sol. Tu aurais trop de mal à te relever. Prends une serviette et suis-moi vers la source que j'ai découverte ce matin à deux cents mètres d'ici. Une bonne douche fraîche te ranimera mieux que trois heures de paresse.

Christine eut un sourire las. Le chat sauvage sur ses pas, elle chercha son nécessaire de toilette et accompagna son père en contrebas du plateau. Une petite cascade y jaillissait joyeusement du roc, semblable à une fontaine ; elle descendait entre deux murs de verdures semblant placés là à dessein pour faire office de paravent,

— Epatant comme salle de bains ! s'écria la jeune fille. Douche, porte-essuies, savonnette ! C'est complet. Mais... les serpents ne peuvent-ils...?

— Ne crains rien. Les serpents, pas plus que d'autres bêtes ne traverseront ces buissons épineux. Pourtant, afin de te rassurer, je monterai la garde ; ne traîne pas.

Un quart d'heure plus tard, Christine, délicieusement rafraîchie et vêtue de neuf, revint, en secouant ses cheveux mouillés :

— Merveilleux, papa ! Tu prends aussi une douche ? Oh, le bel oiseau ! Comment s'appelle-t-il Est-il mort ? Quand l'as-tu tué ? Est-il bon à manger ?

— Cinq questions à la fois ! rit Talman. Tâchons d'y répondre dans l'ordre : Oui, je prends aussi une douche. Ce bel oiseau est un tétras et il est mort. Tu ne m'as pas entendu tirer parce que tu avais les oreilles pleines de savon et du bruit de la cascade. Oui, le tétras est bon à manger, sa chair est savoureuse. Y a-t-il d'autres questions ?

— Heu... ben, à quelle heure pourrons-nous le manger ?

— Dans une heure et demie très exactement, mademoiselle l'affamée ! Par chance c'est une jeune bête bien dodue qui sera vite tendre sur la broche. Nous pourrons nous régaler tous les quatre.

— Quatre ? Aurons-nous un hôte, par hasard ?

— Et ton chat, ne faut-il pas le nourrir ?

— Dame ! Il fait partie de la famille ! Je t'attends, papa.

— Bien entendu ! Et ne quitte pas ta cabine... ni ton chat de l'œil. Il pourrait se sauver avec notre dîner !

Christine se mit à rire. L'arme entre les genoux et le démêloir à la main, elle s'assit sur un roc pour coiffer ses courts cheveux encore humides. Elle considéra le chat sauvage dont les grands yeux verts voyageaient sans cesse de la proie sur le sol vers elle, semblant demander ce qu'elle attendait pour partager le repas.

— Allons donc, Minet, gronda la jeune fille en donnant une tape amicale du peigne sur son nez. Ne viens pas me raconter que tu as faim après avoir bouffé un gros kilo d'entrecôtes voici à peine trois heures ! Tu avais jeûné pendant huit jours ? Possible ! Une raison de plus pour que tu digères d'abord ton boa aquatique si tu ne veux pas avoir une indigestion ! Brrrr ! Et tout à l'heure tu auras ta part de l'oiseau. Tu ne connais pas le goût du tétras ? Moi non plus ! Mais papa assure que sa chair est savoureuse. Tant mieux, non ?

Le chat sauvage semblait apprécier la musique de la voix féminine ; les oreilles amicalement couchées dans la nuque, il ronronnait, en balançant la queue, sans quitter le visage de sa maîtresse des yeux. Christine surveillait galement son comportement confiant ; elle poursuivit d'une voix basse, en surveillant les alentours dont pouvait surgir le danger à tout moment :

— Je suis curieuse de voir ton attitude ce soir, Minet. Regarde, le crépuscule s'annonce et tu sais mieux que moi que la nuit tombe brutalement ici. Les félins craignent le feu... Le feu qui protège les hommes, qui nous sauve de leu crocs... le feu qui te protègera, toi aussi, si tu ne le crains pas, si tu restes près de moi.

Cette inquiétude tenaillait Christine. En montant la colline avec son père, elle l'exprima avec exubérance :

— Il faut l'attacher, papa ! Il aura peur ! Il fuira !

— L'attacher ne l'empêchera pas de fuir, s'il a peur. Nous n'avons pas de chaînes et il rongera les liens, même doublés

Non, Chris, n'attache pas ton chat sauvage. Tu as pu lui inspirer confiance jusqu'ici, tu le pourras encore. Il a commencé par accepter ta compagnie, puis la mienne et même celle de Joaquino dont il semble pourtant haïr la présence, car il s'écarte le plus possible de lui ; son instinct lui dit qu'il ne lui est pas sympathique mais qu'il ne doit pas le craindre sous ta protection. Il se rendra compte aussi qu'il ne doit pas craindre le feu puisque toi-même tu le braves. Il suffira de l'habituer progressivement à la flamme.

— Et cette nuit, pourra-t-il dormir sous ma tente ?

— Diantre ! Ce sale chat sous...?

— Je le brosserai, papa ! Je le désinfecterai du museau jusqu'au bout de la queue, nous avons du D.D.T. en quantité ! Et, tu sais, il est très propre, il se lèche et se nettoie comme un vrai chat !

— J'en suis persuadé, mon petit. Il a même quelque chose de plus qu'un vrai chat : sa sauvagerie ! Eh bien, je ne vois pas d'inconvénients à ce que tu le nettoies à fond. Ou bien il te griffera et te mordra, ou bien il t'en aimera davantage. Si tu réussis et si toi-même tu le juges assez propre pour partager *tes appartements*, pour ma part, je suis d'accord. Il sera une compagnie pour toi et une sécurité, car, les animaux, toujours menacés, ont le sens du danger plus développé que les humains. Si quelque chose n'allait pas, il t'éveillera et tu m'appelleras.

— Mais... que crains-tu donc ?

— Rien... et tout ! *Rien*, si nous veillons, et *tout* si nous dormons. Nous veillerons donc et ton chat nous aidera.

— Tu redoutes un danger ! gronda Christine. Et tu me le caches !

— Pourquoi te le cacherais-je ? Mieux vaut te préparer à ce qui pourrait arriver : ce vaquero aime trop le guarana qu'il avait glissé dans un coffre vide ! Il en est esclave ! S'il lui arrivait de boire trop, il serait abruti ou peut-être méchant, ce qui serait grave. Il serait plus grave encore s'il n'était pas capable de rester éveillé pendant son tour de veille. J'ai beau être résistant, je ne puis veiller perpétuellement et je n'ai pas encore pu dormir beaucoup jusqu'ici.

— Comment a-t-il pu embarquer tout ça sans que tu le saches ? s'écria Christine.

— Sans doute la dernière nuit et l'endroit était tout indiqué. Du reste quand je m'en suis aperçu il était trop tard et maintenant je n'ose plus le lui enlever de peur qu'il ne se venge.

— Trop tard ?

— Certes. Il nous aurait quitté aussitôt, je l'ai compris tout de suite. Et il n'est pas facile de trouver au pied levé un homme qui accepte de pousser jusqu'au cœur du Seringal. La facilité avec laquelle celui-ci s'est adapté aux mille danger qui nous guettent est étrange et, tenant compte de son caractère qui se dévoile tous les jours un peu moins loyal, sa confiance en nous est surprenante.

— Pourquoi n'aurait-il pas confiance ? Il te sait chasseur de première force et a déjà pu se convaincre — soit dit sans me vanter — que la fille vise à peu près aussi juste que le père. Alors ?

— Voilà ! Alors ? gronda sourdement Talman en endiguant une rage impuissante. Pourquoi cet individu éprouve-t-il une joie si féroce en voyant tomber une bête et grince-t-il de ce rire démoniaque en lui arrachant la peau ? Que cache-t-il ? Que cherche-t-il ? Que... nous prépare-t-il ?

Talman passa lourdement la main sur son front plissé comme pour en effacer les soucis. Christine s'accrocha à son bras et le réprimanda :

— Voilà de bien vilains grands mots, monsieur mon père ! Que pourrait-il nous préparer ici loin du monde civilisé ? Il mange, dort, travaille avec nous et comme nous et il sait que nous veillons sur lui, car, s'il peut manier une arme à feu, il se sait cependant incapable d'abattre d'une seule balle l'animal qui pourrait désirer le croquer. Quant à son façao...

— Il le manie avec une dextérité telle, qu'il serait peut-être capable de tuer cet animal sans lui laisser le temps de le croquer ! Mais nous voici arrivés. Colle ton plus innocent sourire sur ta frimousse ; ce personnage ne peut pas se douter que nous le soupçonnons de manœuvres louches et... surveillons-le d'aussi près que nos autres dangereux voisins de la forêt.

La main de Christine arrêta son père ; elle murmura :

— Laisse-moi veiller ce soir avec mon chat pendant quelques heures, papa. Il te faut du repos.

— Non ! coupa sèchement Talman. Il n'en est pas question ! Et retiens bien qu'il est inutile d'y revenir !

Christine baissa la tête. Ils émergèrent sur le plateau en

silence et de plus en plus surpris en constatant le changement apporté au campement pendant leur absence : les tentes avaient été déplacées ; un grand feu brûlait près du figuerra à l'abri duquel une impressionnante quantité de bois sec avait été amoncelé ; contre une paroi de roc s'appuyaient une dizaine de cadres faits de bambous bruns noués aux extrémités avec des piassavas — solides fibres de palmiers. Le Portugais, à genoux non loin du feu, râpait une peau sur le roc préalablement appropriée. Apercevant son maître, il essuya ses mains à une poignée de feuilles qu'il jeta dans les flammes et s'approcha en riant :

— J'ai allumé le feu de ce côté-ci parce que le méchant sucury était revenu dans le figuerra ; quand le vent a soufflé la fumée du bois humide dans les branches, la vilaine bête s'est enfuie, elle ne reviendra plus guère ! J'ai déplacé les tentes qui seront mieux à l'abri des rôdeurs nocturnes entre le mur du roc et le feu.

Talman s'étant arrêté, promena le regard sur le campement converti en si peu de temps en chantier de peausserie... il ne put en croire ses yeux. Le souffle tiède faisait grésiller le bois du foyer dont les flammes semblaient vouloir lancer leurs éclats jusqu'aux étoiles. Le dôme bleu-sombre avait enseveli la colline et les forêts sous son linceul tropical.

— Je vais plumer et trousser le grand oiseau, poursuivit le vaquero en tendant la main vers le beau tétras brun et blanc.

— Non, dit Talman. Je me charge du repas. Tu peux continuer ton travail. Quant à l'arrangement du camp, c'est très bien, Joaquino.

L'homme ricana et s'éloigna avec un rire de gosse satisfait.

— Bizarre ce coco-là ! fit Christine en le suivant des yeux.

— Oui, dit Talman rêveur. Bizarre et serviable et adroit et leste et intelligent et...

— Plutôt *rusé* qu'*intelligent !* coupa la jeune fille.

— Admettons : *rusé.* Et FAUX !!! Si son étonnante adresse peut encore plus ou moins paraître normale, sa trop grande serviabilité ne l'est point ! Je crains qu'il ne sera pas aisé de découvrir ce qu'il mijote, car il mijote quelque chose ! En attendant, fillette, il te reste une bonne heure de loisirs. Profites-en pour te livrer à quelques travaux de ravaudages.

Le chat sauvage serré contre la jambe de Christine, ils contournèrent le foyer afin de peu à peu habituer le fauve à la flamme. La jeune fille alluma la lampe suspendue sous l'auvent de sa tente, transforma le matelas pneumatique en fauteuil et s'installa avec sa couture tandis que son père plumait le tétras dont les plumes des plus belles couleurs d'automne, fabriquaient un véritable feu d'artifice des flammes qui les engloutissaient en crépitant. Des grappes d'insectes tournoyaient autour du foyer, se brûlaient les ailes et s'abîmaient, en grésillant, dans le feu. Infatigable, Joaquino râpait les peaux avec un bruit mou, régulier, désagréable. Après chaque pièce, il avala une gorgée de guarana à même le flacon, sans se soucier des opinions. Talman vida le tétras, se savonna les mains dans un baquet d'eau dont il ignorait la provenance et, après avoir placé la volaille embrochée au-dessus des braises, que les flammes avaient quittées, il saisit le flacon de guarana du vaquero et le jeta en bas de la colline où il rebondit sur les obstacles et se fracassa. Talman enjoignit sévèrement :

— Assez pour ce soir ! Je prendrai la première veille et t'éveillerai à deux heures du matin pour me remplacer. Dès qu'il fera jour nous nous remettrons en route vers la même vallée giboyeuse où nous trouverons encore du travail tout le jour.

— J'éveillerai le maître, répondit vivement Joaquino d'un ton soumis où perçait une étrange satisfaction.

— Inutile ! gronda Talman excédé. Je serai éveillé !

Il pénétra dans sa tente en crispant ses poings dans ses poches afin de ne pas écraser la face ricanante. Il en ressortit, calmé et la pipe aux coins des lèvres.

— Papa, dit fermement Christine. Tu dormiras cette nuit. Je surveillerai l'individu et t'éveillerai à l'aube.

— Non, Chris ! Après pareille journée tu as besoin de repos. Tu...

— Inutile d'insister, ma décision est prise ! Je suis complètement d'aplomb ; j'ai l'habitude des exercices physiques, des longues randonnées à cheval et à pied et de la chaleur tropicale.

— Pas tels qu'ils se présentent ici ; la vie est différente !

— Ouais ! Il suffit de rejoindre le camp... en entier, de prendre une douche et d'avaler le quart d'une volaille pour qu'il n'y paraisse plus ! Je veillerai une nuit sur deux et maintenant parlons d'autre chose. N'est-il pas temps de présenter l'autre face de cet oiseau au feu ?

Talman sourit et soupira :

— Hélas ! ce que femme veut...

Il surveilla la broche et, un peu plus tard, découpa le tétras bien doré dont l'appétissant arôme vous mettait l'eau à la bouche. Mine de rien, il convia Joaquino à venir partager le repas. En dépit de la quantité considérable d'alcool ingurgité, celui-ci semblait aussi frais qu'au matin. Le torse nu, il se lava à grandes eaux, secoua ses longues mèches noires et changea de blouson. Ayant accepté la viande et les galettes de manioc, il alla s'asseoir à distance. Lorsqu'il revint, Talman lui tendit une feuille en guise d'assiette, contenant une poignée de dattes bacajuvas cueillies au passage et demanda où en était la préparation des peaux.

— Toutes sont râpées, répondit le Portugais de sa voix monocorde ; il ne me reste qu'à les laver, les enduire de cendrées et d'aromates et les tendre sur les cadres pour les sécher.

— Et aller les suspendre loin d'ici. Je t'aiderai. J'aimerais que tu comprennes que nous avons tout avantage à nous entendre et nous entraider, Joaquino. Dis-moi donc, où as-tu trouvé cette belle eau ?

— Là, dit-il en tendant le doigt vers l'endroit où il avait pris son repas. Elle coule du mur de granit. J'y ai attaché un plastic dont l'extrémité fait office de gouttière et remplit un à un tous nos récipients disponibles.

— Ingénieux ! fit brièvement Talman. Et, s'adressant à Christine :

— Tu vas coucher, Chris ? Ha, j'oubliais le nettoyage de ton chat !

— Et... si je le lavais ?

Talman éclata de rire et considéra longuement l'animal repu, sagement endormi aux pieds de sa maîtresse devant le feu.

— Essaie ! conseilla-t-il. Complète le miracle !

— Miracle ? Pourquoi ce chat sauvage ne se laisserait-il pas apprivoiser comme tant d'autres animaux ? Ne voit-on pas dans les cirques les lions, les tigres et combien d'autres, sauter à travers un cercle de feu ?

— Bien sûr. Essaie ! répéta son père.

Toute joyeuse, Christine passa sa blouse verte, héritée de Mahila, « qui la confondrait avec les verdures », avait-elle affirmé en l'aidant à s'équiper pour sa vie bohémienne des tropiques. Le chat sauvage se laissa savonner, brosser, sécher et enduire de désinfectants — qui écarteraient les parasites — comme un petit chien d'appartement dressé de longue date. Surpris, Talman arrêta son travail de temps à autre pour contempler sa fille et son docile protégé.

— Il doit être très jeune, dit-il. Sinon il ne te permettrait pas ce petit jeu.

Joaquino, qui semblait avoir compris le sens de la phrase, s'approcha. Vif et adroit, il coinça la tête du félin entre ses genoux et, avant que la bête ne fût revenue de sa surprise, avait ouvert la gueule rose dans laquelle pointaient à peine les canines.

— C'est un jaguarundi mâle qui n'a pas encore six mois, affirma-t-il en ricanant. Dans un an, son poids aura doublé et ses crocs pourront arracher une main d'une seule morsure. Il sera adulte.

— Quoi ? bredouilla Christine. Comment... sais-tu ?

Un rire gras découvrit trois dents brunes de l'homme. Afin de se garantir des griffes du chat sauvage, il le poussa brutalement en avant et expliqua :

— Quand j'étais gamin, j'habitais une casa avec mon père et mes deux frères aînés au bord d'un curicho dans la forêt. Mon père enlevait des portées entières de jeunes jaguars, de pumas, de renardeaux, de jaguarundis et d'autres félins et tuait leurs mères. Nous les élevions et, quand ils devenaient dangereux, mon père les vendait.

— Un commerce probablement peu lucratif, dit Talman, puisque tu l'as abandonné. Et, que sont devenus ton père et tes frères ?

Une lueur de colère fulgura dans le regard trouble de Joaquino :

— Les demonios les ont enlevés et déchirés tous les trois la même nuit !

Ceci expliquait la haine de l'homme pour les fauves. Il éprouvait une satisfaction vengeresse en les voyant tomber, nombreux, sous les balles. Leurs dépouilles devenaient des trophées de victoire.

Christine frissonna. Son père reprit gravement :

— Et toi, comment as-tu pu échapper à ce massacre ?

— Je n'avais que quatorze ans et je dormais. Ce n'est qu'au matin, en me trouvant seul, que j'ai vu les traces de trois grands couguars dans la boue. C'était une année exceptionnelle de fortes pluies ; la casa, entourée des pièges qui nous protégeaient et nous procuraient quelques peaux à vendre, avait dû être abandonnée... *pour quelques jours seulement*, avait dit mon père. En attendant, nous vivions sous une tente sur les hauteurs, trop proches des fauves, qui, eux aussi, avaient fui les inondations. Ici, c'est la loi pour tous. Eh bien, c'est eux qui ont été les plus forts.

— Et puis, qu'es-tu devenu ?

Joaquino jeta un regard oblique vers Talman ; il saisit une pile de cadres et dit d'une voix bourrue :

— Il me restait une mule ! J'ai gardé des troupeaux et suis devenu vaquero ! J'avais retrouvé le façao de mon père et il ne m'a jamais quitté !

Avec un rire bas, il chargea les cadres et s'éloigna de son air indolent.

— Le voilà rentré dans sa coquille ! gronda Christine.

— Etrange qu'il en soit sorti un instant ! confirma son père.

— Ben, si je n'aime pas du tout cette espèce de docilité nonchalante, elle ne m'empêchera tout de même pas de dormir à poings fermés ! A tout à l'heure, papa. Deux heures top !

La jeune fille embrassa son père et clama :

— Hé ! Joaquino ! Bonsoir !

Ne semblant pas avoir entendu, le Portugais disparut derrière les buissons qui se refermaient sur lui ainsi qu'une trappe. Talman jeta une brassée de feuilles de palmiers dans le feu dont les flammes éclairèrent aussitôt tout le plateau, il ramassa le reste des cadres et s'empressa de suivre le serviteur, le fusil au bout du bras.

Lorsque, après quelques minutes, la jeune fille vit poindre leurs ombres indécises sur le fond des verdures, elle alimenta le foyer d'une nouvelle charge de palmes et se retira sous sa tente. Elle caressa le jaguarundi en murmurant :

— Désormais tu te nommeras : « Rundy ». C'est un nom charmant ! Tu n'as plus rien d'un chat sauvage.

Après son bain, sa toilette fut tôt faite ; elle s'allongea sur le matelas, ferma la tente et la moustiquaire et enjoignit :

— Coucher, Rundy ! Là !

Elle appuya sur son dos. Il frotta amicalement son nez contre sa paume, bâilla longuement et s'étendit à ses pieds, comme elle le lui avait ordonné.

La jeune fille commença sa prière, mais sa pensée fuyait. Comprenant que le sommeil la gagnerait avant de pouvoir terminer son invocation habituelle, elle l'abrégea : « Merci, mon Dieu, de nous avoir protégés aujourd'hui et de m'avoir donné Rundy. Gardez-nous... de tout... danger... cette nuit... demain... et les... jours...

Christine dormait.

CHAPITRE VI

Le jaguarundi éveilla Christine en sursaut. Inquiète, elle écouta les cris lointains des fauves, le grésillement proche du foyer dont, malgré l'opacité de sa tente, elle percevait la lueur rougeoyante au travers de la toile.

— Chris ?... appela la voix étouffée de son père.

— Paix, Rundy, murmura-t-elle tranquillisée en posant la main sur sa tête.

— Il est deux heures, chuchota Talman. J'éveille Joaquino.

— D'accord, papa. Je suis bien éveillée. Et tu sais, tu avais raison en assurant que Rundy me serait utile !

— Ha oui ? Qu'a-t-il fait ?

— Il a soufflé quand tu t'es approché de ma tente et m'a réveillée.

— Magnifique ! Voilà un chat qui fera un bon chien de garde !

— Certes ! rit Christine. Va vite te reposer, papa. Je laisserai ma tente entrouverte de manière à pouvoir surveiller tout le plateau. Du reste, j'aimerais profiter de la fraîcheur de la nuit : j'étouffe sous la toile.

Avant de s'asseoir près du feu, Joaquino se pencha au-dessus d'un récipient d'eau et y enfonça sa tête ; sans doute afin de bien s'éveiller avant de commencer la longue veille solitaire. Il alluma un grand cigarro et alimenta régulièrement les flammes en s'amusant à casser le bois en menus morceaux. De temps à autre, ses souples doigts dont les phalanges semblaient désarticulées, caressaient le manche du façao suspendu à sa ceinture ; il paraissait lui inspirer plus de confiance que l'arme à feu qui traînait à trois pas et à laquelle il n'accordait point de regard.

Plus d'une heure passa dans le calme absolu, sinon les bruits habituels qui habitaient les forêts. Mais soudain, dans l'ombre condensée autour des fourrés, une bête approchait aux allures perverses. Christine ne pouvait encore en définir la sorte. La devinant dangereuse, son regard s'arrondit, car Joaquino continuait tranquillement à casser du bois. Le fauve n'était plus qu'à une vingtaine de mètres et s'arrêta, inquiété par le feu inconnu. La jeune fille reconnut le puma, une bête de belle taille dont la faim semblait plus forte que la peur.

Indécis, il se coucha, se releva, avança d'un pas, huma l'air, se recoucha encore ; il répéta plusieurs fois cette manœuvre alarmante sans quitter l'homme de son regard oblique. Il s'éloigna un peu, contourna le foyer et revint vers lui assis à présent entre le feu et lui ; et soudain, s'apprêtant à attaquer la proie immobile, il se ramassa lentement sur lui-même...

Le Portugais bondit, serrant une brassée de branches de palmiers dans ses bras dont les extrémités feuillues brûlaient comme des torches ; avec force, il les jeta une à une vers le félin. Il recula en grognant, ses griffes grattaient le sol de fureur. Lorsqu'une flamme le toucha, il rauqua et s'enfuit en bondissant.

Joaquino se rassit, étouffa le feu des palmes sur le sol et se remit à casser du bois. Le jaguarundi qui s'était dressé, tremblant, contre sa maîtresse, se recoucha et se rendormit. Pas un bruit n'avait trahi la présence du fauve. Le sommeil de Rundy apaisait l'inquiétude de Christine qui comprit soudain la raison pour laquelle son père ne lui permettait pas de veiller sur le camp la nuit. Bien que le vaquero avait une fois de plus prouvé son étonnante adresse, la jeune fille savait qu'il ne mentionnerait point son aventure de la nuit .. somme toute n'était-ce qu'un fait coutumier qui n'en valait pas la peine.

Une heure passa sans que Rundy s'éveillât. Puis, brusquement il dressa la tête, la fièvre alluma son œil, sa patte se posa sur l'épaule de Christine. Le jeune animal, connaissant sa faiblesse et l'imperfection de ses instincts, avertissait celle en qui il avait mis sa confiance, afin qu'elle le défendît et le protégeât à la fois.

Deux grands renards roux efflanqués rampaient vers les tentes. Joaquino, ne bougeant point, Christine crut devoir l'avertir... mais elle le vit se tourner insensiblement jusqu'à faire face aux fauves. Ceux-ci semblaient avoir contourné le feu à distance, sans comprendre quel danger représentait pour eux la forme verticale figée. Ils ne paraissaient avoir décelé d'autres odeurs que celles des humains sous les tentes. Le cœur de Christine butait sur ses côtes. Sournois, les renards approchaient...

Avec la rapidité de l'éclair le bras du Portugais se détendit, une lame passa dans l'air, puis une autre... Les deux bêtes s'effondrèrent, foudroyées, sans un cri ni une plainte.

Joaquino glissa le façao, que tenait déjà sa main pour une ultime défense, dans sa gaine de cuir, alimenta le brasier et retourna les fauves du pied pour retirer les couteaux des gorges ; un flot de sang s'échappa des terribles blessures. Il traîna les corps près du feu et se mit en devoir de détacher les superbes fourrures à la belle queue velue.

Muette d'étonnement en constatant pareil sang-froid, Christine attira Rundy à elle et bientôt il se rendormit. La lumière du jour pointait peu à peu au-dessus des buissons, gagnait le ciel, se répandit sur le plateau. Se souvenant du désir de son père de se mettre en route pour la vallée giboyeuse dès l'aube, la jeune fille se glissa hors de la tente et, le fusil à la main, alla l'éveiller. Au moment où Talman parut sur la plaine, Joaquino s'éloignait avec deux nouveaux cadres de bambous.

— Où s'en va-t-il comme ça tout seul ? s'étonna Talman en guise de bonjour, voyant disparaître l'homme derrière les buissons.

— Ne t'inquiète pas, papa, ironisa Christine. Cette nuit il a chassé un énorme puma qui n'était plus éloigné que de vingt pas et a tué deux tout aussi énormes renards dont il est allé pendre les peaux près des autres. Et tout ça, sans faire le moindre bruit. Eh bien, ajoutons à la liste de ses étranges qualités, son adresse de *tuer,* en lançant des couteaux à distance avec la sûreté d'un maître jongleur !

***

..Un album de 64 pages cartonné

NTIERREMENT EN 4 COULEURS

LE CADEAU IDEAL

BOB MORANE

et

L'OISEAU DE F

HENRI VER

Dino ATTANA

UNE AVENTURE INEDITE

Les chasseurs revinrent le soir avec un butin aussi riche que celui de la veille. Néanmoins Raymond Talman décida qu'ils prendraient la direction Nord-Est le lendemain. Durant cette nouvelle journée, il n'avait guère semblé se souvenir des exploits nocturnes du Portugais ; sans doute, ayant vu l'homme à l'œuvre les nuits précédentes, était-il édifié à ce sujet. Christine, comprenant que son père aimait mieux passer ce genre de conversations sous silence, s'abstint d'y faire allusion. Et les jours s'ajoutaient aux jours, pleins d'aventures, de surprises, de dangers partagés et de solidarité. Les peaux, séchées sur les cadres, faisaient place aux peaux fraîches et s'amoncelaient dans les coffres spécialement aménagés pour les conserver intactes jusqu'au moment de la vente au Para.

Joaquino s'acquittait scrupuleusement de la tâche qui lui était assignée. Il râpait les peaux avec une dextérité étonnante, les lavait et les enduisait de composés cycliques avant de les sécher aux endroits méticuleusement choisis. A ses rares moments de liberté, il fumait de grands cigarros en flânant autour du camp ou couché sur le sol, non sans se priver de guarana qu'il ingurgitait comme de l'eau sans que sa santé en souffrît. Sa physionomie hypocrite inspirait cependant de moins en moins confiance à Talman ; il se tenait sur ses gardes, mais ignorait toujours quel danger cet homme pouvait représenter pour eux.

Les chasseurs profitèrent des pluies diluviennes qui avaient gonflé les marigots après un orage, pour remettre la lourde barque à flot et descendre le cours d'eau de quelques milles ; puis elle demeura une vingtaine de jours entre les rives basses d'un curicho, petit ruisseau qui allait encore grossir le fleuve ; le campement avait été établi à proximité dans une cavité rocheuse. Dans ces terres, riches en gibier de toutes sortes, les peaux précieuses abondaient. Au bord d'un énorme lac, pollué par les inondations, une quarantaine d'ararinas, des loutres d'une taille exceptionnelle, tombèrent sous les balles. Leurs admirables fourrures brunes, soyeuses et lustrées, consolaient un peu Christine qui avait horreur d'abattre des bêtes à peu près inoffensives. Mais soudain, ils furent surpris par des virbolas, d'effroyables lézards venimeux. Les monstres suivirent les hommes qui durent quitter les lieux inhospitaliers au plus tôt.

Ils réembarquèrent et, à nouveau, dressèrent le campement à quelques milles en aval du marigot ; tel que le voyage avait été décidé au départ, ils continuaient à longer l'eau, constituant de la sorte, étape après étape, le chemin du retour.

A peine avaient-ils terminé leur nouvelle installation dans la savane, non loin de la forêt qui promettait de livrer d'innombrables fourrures, qu'un remous lointain se mit à agiter les bois ; le sol, couvert d'herbes rousses, tremblait d'un sourd trépignement ; l'angoisse au cœur, les chasseurs écoutèrent, silencieux, immobiles...

Et soudainement, déboulant des fourrés, un troupeau de chiguires, de grands cochons sauvages, fuyaient devant une menace encore invisible, une galopade sans but, affolée, innommable ; aveuglées par la peur, les bêtes emplissaient l'air de cris terrifiants ; la course désordonnée de la horde broyait tout obstacle sur son passage.

Figée d'horreur, Christine ne retrouva ses esprits que lorsque son père la saisit à bras le corps avec un hurlement destiné au Portugais :

— Grimpe !!!

Joaquino n'avait pas attendu cet ordre. Déjà il courait vers l'arbre le plus proche, saisit une poignée de lianes et, avec l'agilité d'un ouistiti, se hissa dans l'enfourchure du grand tronc. Talman entraînait Christine, la portant plutôt que la poussant en avant. Joaquino tendit deux horribles mains sales ; elle les saisit, il la souleva, aida Talman à monter, puis éclata d'un rire féroce en marmonnant entre ses lèvres crispées :

— Les peaux sont en sécurité...

Christine, qui avait saisi les mots, n'y attacha pas d'importance en ce terrible moment de fuite. Rundy avait suivi sa maîtresse et s'installa à ses côtés.

Mais tout à coup le tableau changea. Sous le grand arbre qui leur tenait lieu de refuge, retentit un feulement assourdissant ; un jaguar s'y arrêta. C'était une bête splendide... sinon un drôle de petit bout de queue, sans doute tranchée dans quelque combat à mort. Désorientés par la voix menaçante, les chiguires modifièrent leur course. Le félin hésita un bref instant entre les hommes au-dessus de sa tête et les cochons sauvages. La horde tourna vers la forêt... le jaguar bondit... une plainte d'agonie s'exhala.

Peu à peu les voix se turent, les martèlements s'éloignèrent, puis moururent. Un silence effroyable s'installa.

Talman épaula, visa le fauve en train de déchirer sa proie, crispa le doigt sur la gâchette...

— Ne le tue pas, papa ! souffla Christine. Il a sauvé notre campement !

— Lâche-moi, Chris ! se fâcha son père. Je ne puis le manquer !

— Non ! Laisse-lui la vie ! Il a sauvé tout ce que nous possédons ici !

— Ma... parole ! hacha Talman, stupéfait. Il abaissa son arme pour interroger sa fille du regard : qu'est-ce qui te trotte sous le crâne ?

— Regarde !!! haleta-t-elle les yeux horrifiés.

Six autres jaguars sortaient majestueusement de la forêt et passèrent sous l'arbre. Voyant leur congénère tranquillement attablé, ils bondirent vers lui et une lutte sauvage commença qui emplissait toute la savane de rauquements de colère et de cris meurtriers.

— Nous ne sommes pas en sécurité ici, chuchota Talman. Ces bêtes grimpent plus facilement sur les arbres que nous et déjà ils sont sept ! Ils pullulent dans ces parages. Allons, nous ne pouvons hésiter ! il faut tuer ! tuer sans merci ! c'est notre vie que nous jouons ! Nous devons tuer sans épargner celui qui a sauvé le camp et abandonner les dépouilles ! Nous devons fuir ces lieux au plus tôt !

Joaquino tremblait et gesticulait ; il n'osait, ni n'était plus capable de sortir un son ; son visage olivâtre avait tourné au vert-de-gris, ses yeux roulaient comme des billes, revenant sans cesse des fauves à Talman, semblant demander ce qu'il attendait pour les abattre. Christine, ayant pu apprécier le sang-froid de cet homme, déduisit de son comportement actuel, qu'il se savait perdu.

Humant l'air, deux autres jaguars sortirent du sous-bois ; manifestement la région en était infestée. Comment les chasseurs avaient-ils pu dresser le camp et gagner cet arbre tout proche de la forêt sans avoir été attaqués ?

— Tire dans le tas ! enjoignit Talman. Je me charge des deux nouveaux venus qui nous guettent déjà !

Les détonations éclatèrent et se suivirent ; la forêt tout entière frémissait. Emmêlés dans le combat, les jaguars jetaient des feulements et des cris horribles. Très pâle et les dents serrées, Christine tirait cependant lentement, visant avec sang-froid le but que chaque balle devait atteindre. Et bientôt, sur le champ de bataille, tout bruit s'arrêta. Quelques secondes passèrent, interminables. Puis, une bête, au pelage roux ocellé et maculé de sang, se détacha péniblement de dessous les cadavres. Le poil encore hérissé de colère et les lèvres retroussées sur les crocs menaçants, le jaguar considéra la masse confuse des corps inertes. Le regard oblique, il passa la langue sur ses lèvres, semblant conscient qu'il sortait seul vainqueur de l'effroyable lutte. Ses muscles se détendirent, son pelage se lissa et sa queue... un drôle de petit bout de queue sans doute tranchée dans quelque combat à mort précédent, se mit en mouvement. Ses dents saisirent le corps du chiguire et l'emportèrent dans les fourrés.

Ne pouvant prendre le temps de complimenter sa fille, Talman appuya sa main sur la sienne en chuchotant en portugais afin d'être compris par le serviteur en même temps :

— Allez vite rejoindre le camp ; moi je vous couvre. Toi Joaquino, hâte-toi de tout rassembler et de recharger la barque. Toi, Chris, surveille les alentours et couvre-moi pendant que je quitterai cet abri à mon tour et traverserai la plaine découverte.

— O.K., fit-elle crânement.

Rundy gémit. Mais appelé par sa maîtresse et encouragé par Talman il suivit la jeune fille. Avant que le chasseur put rejoindre le campement, deux fauves furent encore abattus. Tel qu'il l'avait certifié, ils ne pouvaient songer à s'attarder dans les majestueux décors qui recelaient une si abondante faune sanguinaire.

Les tentes avaient été démontées et le canot rechargé en un temps record. Le réembarquement hâtif fut une fuite éperdue. Pourtant, au moment de devoir saisir la rame, Joaquino tira son façao en montrant du doigt un jaguar dérobé dans les bambous bruns de la berge à quinze mètres à peine de la barque.

Furieux d'être dérangé au moment de se désaltérer et les prunelles brûlantes d'envie, sa colère s'accrut d'être gêné dans ses mouvements par la masse des jeunes bambous, lesquels, bien qu'encore tendres et flexibles, suscitaient néanmoins un sérieux obstacle pour se jeter sur les proies. Ces mêmes bambous gênèrent aussi les chasseurs qui tirèrent sept balles avant d'abattre la bête. Les premières la blessèrent, décuplant sa fureur qui la jeta en avant. Plus elle approchait, plus elle fut accessible. Lorsqu'elle tomba pour ne plus se relever, elle n'était plus qu'à cinq pas. Avant que Talman ou Christine aient pu intervenir, Joaquino avait bondi hors de la barque.

— Tu es fou ! hurla Talman. Reviens ! Reviens !

Seul un rire répondit. Tirant de toutes ses forces sur les

pattes arrière du fauve, Joaquino le hissa au-dessus du rebord. Il ne resta à Talman qu'à l'aider pour que le corps tombât à ses pieds. Le transport s'éloigna de la berge et fut aspiré par le courant.

Rundy renifla dédaigneusement son supérieur impuissant et revint se coucher près de Christine.

— Je me charge des manœuvres, dit froidement Talman.

Joaquino rit et s'accroupit pour écorcher le jaguar. Lorsqu'il eut terminé et qu'il lança le fauve, dépouillé de son pelage, dans l'eau écumeuse, des dizaines, puis des centaines de petits poissons argentèrent la surface et se mirent à dévorer le corps.

— Piranhas ! maugréa l'homme en se jetant en arrière.

Il s'était penché pour se rincer les mains, mais il connaissait la voracité des piranhas qui, à l'instant de la plongée, lui auraient arraché tous les doigts des mains. Il les essuya vaille que vaille à un chiffon traînant au fond de la barque et, un rictus mauvais sur sa face brutale, remit de l'ordre dans les objets jetés pêle-mêle dans la hâte de fuir la belle clairière redoutable.

Ils n'y avaient pas campé deux heures !

CHAPITRE VII

Le canot dansait sur les flots sous un soleil de plomb. Les voyageurs se taisaient. Le moteur à l'arrêt, Talman n'utilisait qu'une seule rame à la manière d'une godille, guidant l'embarcation entre les méandres des rochers avec une adresse qui faisait l'admiration de sa fille. Ils approchaient de la chute où, en montant le marigot voici sept semaines, ils avaient été mis en demeure de décharger le canot pour pouvoir la franchir. Depuis lors, les pluies torrentielles, accompagnant les multiples orages, avaient sans cesse gonflé les eaux. A mesure qu'ils avançaient, les bondissements accroissaient ; la barque craquait dans toutes ses membrures, les caisses, les victuailles, tous les objets s'entrechoquaient ; deux cadres, sur lesquels séchaient de belles peaux d'ariranas, passèrent pardessus bord. Le vaquero, la moue sombre, tendit vaguement une main, mais comprenant l'inutilité de son geste, il se replongea dans sa rêverie qu'il n'interrompit que pour avaler une rasade de guarana de temps à autre. La fixité de ses prunelles déplaisait à Christine. Il semblait méditer quelque perfidie, tel qu'en ses rares moments de liberté et durant ses heures de veille quand il ne se savait pas surveillé. Ces jours derniers, il se montrait plus empressé encore que de coutume ; il manifestait une activité obséquieuse et nerveuse à la fois ; la jeune fille l'observait du coin de l'œil mais n'osait en parler à son père. Du reste, elle était convaincue que celui-ci ne perdait rien de l'attitude fourbe du Portugais et se demandait, comme elle-même, ce que tout cela cachait.

Talman dirigeait prudemment le canot vers une anse tranquille entre les rocs à fleur d'eau. Christine reconnut l'endroit où ils avaient réembarqué à l'aller, après avoir tiré la barque au delà de la chute et transbordé les bagages. Le chasseur accosta sur une étroite plage sablonneuse sous des guirlandes d'orchidées accrochées aux arbres de la rive. Le dard du soleil pointait à travers les branches ; une chaleur d'étuve y régnait.

— Au travail ! commanda le chef de l'expédition.

Un sourire perfide courut sur les lèvres de Joaquino qui ne se souciait point de la sueur coulant en grosses gouttes sur ses joues tannées, ni de la chemise déteinte qui lui collait sur la peau, montrant ses côtes dans les accrocs. Tandis qu'ils vidaient la barque, un essaim de moustiques fondit sur eux ; les applications répétées du jus de limas suffisait à peine à rendre la position tenable. Tout à coup, le marigot, large comme un fleuve, se mit à charrier des arbustes, puis des arbres entiers dans des eaux devenues limoneuses : les victimes d'un récent orage.

Les chasseurs se félicitaient d'avoir accosté juste avant leur passage. Si l'un des grands arbres avait tamponné le canot, il eût été fracassé et ses occupants précipités dans les flots.

Durant les sept semaines que les voyageurs avaient passées dans les forêts, la barque s'était considérablement allégée des munitions, de carburant, de boissons, de conserves et autres denrées alimentaires ; en revanche, elle s'alourdissait à toute nouvelle étape du butin de la chasse. Bien que Christine n'aimait guère le métier de chasseur, la vie aventureuse, pleine d'imprévus, ne déplaisait point à sa vibrante nature. Elle s'était aguerrie à l'atmosphère de serre chaude et à ses odeurs nauséabondes. Quant à la chasse proprement dite, elle tuait plutôt par nécessité, étant obligée de défendre sa vie et celle de ses compagnons, que dans le but d'empiler des fourrures ; et son père ne l'ignorait point. Cependant, ces sentiments, secrètement admirés par Talman, n'empêchaient pas celui-ci de se réjouir du résultat obtenu grâce à l'aide de sa fille, auquel la nature elle-même semblait avoir contribué : les orages, les pluies, les inondations tenaces qui maintenaient les animaux sur les hauteurs, « où on les cueillait comme des fleurs ! » disait Talman. Et les fauves eux-mêmes — dont la progéniture prolifique de l'année précédente était adulte à présent — étaient plus abondants que jamais, de sorte que les chasseurs, qui n'avaient pourtant pas froid aux yeux, avaient dû fuir devant leur nombre.

Tandis que Talman et le vaquero déchargeaient l'embarcation, Christine se vit attribuer la tâche de surveiller les alentours. Le seul coup de carabine qu'elle tira, tua une outarde, oiseau paresseux à la chair exquise, qui constituerait le plat principal du dîner. Elle s'installa sur le plus haut rocher pour le plumer, le dos au marigot, à l'abri du soleil sous un palmier languissant dans une crevasse. De cet endroit élevé, son regard dominait le plateau tombant en pente abrupte sur le roc où serait amarré la barque après l'avoir fait franchir le rapide à vide. Derrière le bouquet d'arbres, voilés d'orchidées, le regard exercé de Christine reconnut l'étrécissement du cours d'eau où les voyageurs s'étaient frayés un passage au sabre d'abattis dans les plantes aquatiques en tuant et chassant les caïmans à coups de fusils et de rames ; les condors, toujours aussi nombreux, obscurcissaient le ciel de leurs ailes silencieuses.

Après trois heures de labeur — Talman, étant expert dans ce genre de manœuvres délicates et adroitement secondé par Joaquino — la barque avait franchi sans mal le dangereux rapide et se balançait mollement entre deux buritys émergeant entre les rochers. Elle fut rechargée de tout ce dont les chasseurs n'avaient pas un besoin immédiat ; Talman ne désirait pas prendre le risque de devoir fuir devant quelque danger pressant en abandonnant une partie de leurs impedimenta.

La pente conduisant du camp à la rive, hérissée de petits rocs tranchants, rendait l'endroit impraticable aux caïmans. Nombreux, ils se prélassaient au soleil à peine à une centaine de mètres. La chasse promettant d'être favorable, il fut décidé que les voyageurs y camperaient plusieurs jours.

Lorsque l'astre couchant plongea la clairière dans un bain de pourpre, l'outarde crépitait gaiement au-dessus des braises. Le monde s'endormait paisiblement dans la végétation luxuriante. Et ce fut la toute première fois que Rundy ne flaira pas le vent et se promena tranquillement à travers le campement ; son attitude fut pour les chasseurs un présage de paix.

De fait, des jours reposants suivirent dans la petite clairière décorée des fleurs les plus somptueuses. Des arbustes touffus, au bois extrêmement épineux, la festonnaient du côté opposé au marigot et Talman, secondé par le vaquero, avaient roulé de grands blocs de granit dans l'ouverture par où ils avaient pénétré sur le plateau. Dans ce jardin reposant, Christine ne se vit attribuer d'autres occupations que celles concernant le ménage : la lessive, un peu de couture et la préparation des repas. Tel qu'elle l'avait vu faire par Joaquino, elle cuisait des galettes de maïoré, plumait, vidait, troussait les canards et les oies sauvages, les tétras, les outardes et autres volailles. Elle nettoyait les poissons que son père capturait le long de la berge, étripait et embrochait les petits quadrupèdes et avait appris l'art d'obtenir un grand brasier sans flammes, qui rôtissait les chairs sans les enfumer. Elle aimait s'attarder au bord de l'eau où elle ne courait point le danger d'être surprise par les bêtes sauvages ; là, où l'homme pouvait se tenir debout entre les saillies, un animal eût eu le ventre déchiré ; même Rundy ne suivait pas sa maîtresse et l'attendait sagement en haut du plateau.

Tandis que la jeune ménagère accomplissait allégrement sa tâche, son père et le serviteur ne quittaient pourtant point les lieux. Les sauriens vivant en groupe au delà de la berge et se nourrissant des animaux qui venaient se désaltérer, constituaient un gibier précieux pour les chasseurs. Les maroquiniers sont friands des belles peaux écailleuses des crocodiles ; ces bêtes aux terribles mâchoires, atteignent quelquefois six mètres de long ; leurs queues, pleines de forces, sont aussi redoutables que leurs mâchoires. Les chasseurs pouvaient les tuer à distance, mais non pas aller détacher les peaux parmi les centaines de gueules prêtes à les happer. Aussi, Raymond Talman avait-il inventé un système ingénieux, lequel, s'il s'avérait assez lent, offrait cependant un maximum de sécurité. Secondé par Joaquino, il avait attaché un câble à une solide branche d'arbre surplombant le curicho où les sauriens attendaient leurs victimes. Embusqués non loin de là sur l'entablement rocheux, ils les alléchaient par un appât suspendu au bout d'une corde sous la branche. Lorsqu'un caïman approchait, Talman le visait, et l'atteignait généralement dans l'œil d'une seule balle. Aussitôt le corps se retournait dans l'eau, le ventre pâle flottant à la surface, permettant à deux lassos à la fois de saisir deux pattes. Le Portugais passait les lassos au-dessus de l'enfourchure de l'arbre — lissée au préalable — et, utilisant l'enfourchure en guise de grue, ils halèrent le corps jusqu'à ce que Joaquino put l'atteindre et l'attacher au câble afin de détacher les lassos ; le crocodile, retombant au bout du câble, se mit à balancer. A l'aide de longues gaules de bambou, les hommes accentuèrent le balancement ; quand la proie atteignit la saillie, ils l'arrêtèrent et la détachèrent. Et tandis que le chasseur suspendait un nouvel appât au-dessus du ruisseau, Joaquino écorchait le saurien et roulait le corps dépouillé dans le marigot qui l'emporta aussitôt.

Les peaux affluaient, la barque s'alourdissait, une soixantaine de cadres fraîchement garnis balançaient encore à l'air pur au-dessus des rocs. Après une semaine de ce travail lucratif, Raymond Talman décida de prendre un jour de repos. C'était dimanche ; il n'aimait pas de travailler le jour du Seigneur et moins encore de tuer, pour autant que la faune menaçante le permettait. Or, depuis six jours que les chasseurs campaient dans la belle clairière, pas un seul animal dangereux n'avait été aperçu, sinon les nombreux caïmans au delà des arêtes rocheuses et qui ne pouvaient monter sur le plateau.

Après un long sommeil inhabituel, alors que Talman et sa fille discutaient des beautés du site et faisaient d'agréables projets pour le retour au foyer, le vaquero préparait les repas avec ses airs à la fois nonchalants et pervers, tandis que la fumée de ses grands cigarros estompait la pureté et les couleurs des fleurs comme un brouillard épais.

Bien que Talman ne voulait pas négliger les veilles nocturnes, l'attention fut néanmoins un peu relâchée ; le feu fut entretenu, mais le chasseur jugeait inutile de surveiller le serviteur quand il était de garde.

Le soleil touchait presqu'à l'horizon ; l'obscurité tomba avec la vitesse tropicale ; une brise rafraîchissante balayait le plateau. Au loin, sous la molle rotation des feuilles de palmiers, le marigot brillait dans l'éclat argenté de la lune, la merveilleuse quiétude semblait ralentir le temps. Tout était reposant, harmonieux ; c'était la plus sereine soirée que les voyageurs avaient connue.

Joaquino allait et venait, du camp à la barque, vérifiant les coffres, les amarres, déplaçant les peaux, s'occupant de tout et de rien. Lorsqu'il revint, Talman lui dit qu'il prendrait lui-même la première veille jusqu'à deux heures du matin.

Joaquino passa un doigt nerveux sur sa lèvre, il lampa un grand coup de vin et avec un grondement gêné en réponse au « bonsoir » affable du chasseur et de sa fille, il s'éloigna d'un pas pressé.

Talman leva les épaules en signe d'incompréhension et dit :

— Il est près de dix heures, Chris. Tu sais que nos nuits sont courtes.

— Quand quitterons-nous cette clairière, papa ?

— Quand nous aurons environ cent cinquante peaux de crocodiles. Nous possédons déjà une collection appréciable de peaux de toutes sortes, mais j'aimerais encore découvrir une troupe d'ariranas. Dans cette contrée rarement visitée par des chasseurs, ces loutres atteignent une taille exceptionnelle ! Avec l'âge leurs fourrures embellissent, elles sont hors prix. Ha ! nous avons eu du flair à l'allée en bravant cette armée de caïmans et cette chute devant laquelle s'arrêtent les autres ; ici nous sommes au cœur même de la nature la plus hostile du globe ; peu de chasseurs peuvent se vanter d'avoir assemblé pareille cargaison de peaux de valeur en si peu de temps ! Mais nous devons tenir compte du poids que peut porter la barque, petite fille ; mais oui ! tout doit être mesuré dans la vie... même et surtout la force physique, la résistance, le caractère...

— Dis donc ! Tu parles par énigmes ?

Talman passa une main caressante sur les souples mèches pâles, taquinées par le vent, et reprit :

— Il ne faut pas d'énigmes entre toi et moi, mon petit. Quand tu as exigé de me suivre dans la brousse, je me suis mis en colère, jugeant, comme il est juste, ta proposition absurde ! Puis j'ai cédé à ton caprice. A présent je peux te l'avouer, j'ai regretté cette décision aussitôt. Je connaissais les terribles embûches, les mille dangers que tu courrais... Je connaissais aussi ta force, ton courage, ta volonté de vaincre et d'aider notre personnel... C'est aussi te dire que je ne t'ai pas sous-estimée. Eh bien, ma petite Chris, tu es probablement la seule jeune fille au monde qui soit parvenue à VIVRE durant plusieurs semaines dans les profondeurs du sinistre Seringal A présent j'espère qu'une ou deux semaines suffiront pour achever notre tâche. Quand la barque sera chargée à bloc, nous regagnerons le Mas en quelques jours.

— Comment ? Et nous ne nous arrêterons pas chez tes amis indiens ?

— Ce sera inutile, rit Talman. Mais : « amis », c'est beaucoup dire. En général ces peuplades, nomades pour la plupart, se montrent encore extrêmement rébarbatives à toute civilisation.

— Je vois, marmonna Christine. Mais est-ce par simple coïncidence que nous n'avons pas encore vu de toldos jusqu'ici ?

— Les Indiens ne construisent pas leurs villages si profondément dans le Seringal. Ils en connaissent les dangers mieux que quiconque. S'ils acceptent notre amitié, ils aiment avant tout de recevoir nos cadeaux et la sécurité que leur apporte notre passage par nos armes et l'adresse de nous en servir. Et sur ce, ma Chris, je te souhaite une bonne nuit. Mais... ne t'ai-je pas enlevé quelques illusions ?

— Bah ! fit-elle avec une moue désinvolte. Ne craignions-nous pas surtout notre obséquieux compagnon ? Or nous semblons nous être trompés, il paraît parfaitement inoffensif. Ha ! que pourrait-il encore nous arriver maintenant que nous sommes si près du but ? Bonsoir, papa !

Le père et la fille se séparèrent, tandis que Joaquino s'éloigna de son pas feutré vers sa tente dans la nuit.

CHAPITRE VIII

Au-dessus des grappes de fleurs et des arbres touffus, une lueur féerique trouait l'obscurité. Peu à peu la lumière descendait du ciel, allumant les orchidées comme des étoiles sur le fond sombre des verdures.

Christine s'étira et sortit de sa tente. Après le baiser du matin à son père, elle se tendit sur la pointe des pieds pour inspecter les alentours. Du côté de l'eau le paysage n'était encore qu'un monde bleu et pourpré, s'évanouissant en larges ondulations dans l'horizon brumeux. Le feu de camp se réduisait à un menu tas de cendres et semblait éteint depuis longtemps. Le vaquero était absent. Sans doute s'occupait-il déjà de la vérification des cadres, ce qui semblait naturel. Il ignorait que son maître et sa fille seraient si matinaux aujourd'hui.

Suivie de Rundy, Christine partit, en fredonnant gaiement, vers le ruisseau aux eaux limpides et procéda à sa toilette. Elle retrouva son père, les traits inquiets, debout sur une corne de roc.

— Que cherches-tu, papa ?

Talman montra au loin la vaste courbe du marigot :

— On dirait qu'une embarcation vient de passer là-bas. Viens près de moi. Vois-tu le sillage d'écume qu'elle a laissé ? Si j'étais arrivé dix secondes plus tôt, je l'aurais aperçue.

— Etrange ! s'écria Christine. Et, cela t'inquiète, papa ?

— M'inquiéter ? Je ne sais que penser. Comme tu dis : c'est étrange. Cette barque aurait-elle poussé jusqu'ici ? Ses occupants ont-ils découvert notre campement ? Ont-ils vu notre canot ? Nos cadres alignés pleins de peaux ? Et, s'ils les ont vus, pourquoi partent-ils sans chercher à nous rencontrer ? C'est, dans ce pays, une règle élémentaire. A moins que... qu'ils nous fuient ? La direction des sillons prouve clairement que l'embarcation s'éloigne et non pas qu'elle s'approche ! Pourquoi ?

— Papa ! s'exclama tout à coup Christine en s'accrochant à son bras.

— Chris... mais voyons ? Que t'arrive-t-il ? Pourquoi es-tu si pâle ?

— Oh ! papa, souffla-t-elle faiblement. Le... feu... du camp est... éteint depuis longtemps. Joaquino ? Où est Joaquino ?

— Joaquino ? Que veux-tu dire ?

Sans répondre, Christine bondit du rocher et se précipita vers l'endroit où séchaient les peaux au-dessus des rocs.

Comprenant soudainement ses terribles craintes, Talman la suivit en courant. Le tableau qui s'offrait à leurs yeux les fit transir de peur. Les cadres avaient été vidés et traînaient, pêle-mêle, entre les pierres : les peaux avaient disparu.

— A la barque ! enjoignit Talman en se ruant en avant au risque de gravement se blesser aux rochers saillants.

Leurs soupçons se trouvèrent justifiés. Dans l'anse où était amarré le canot, ne jouait plus qu'une eau tranquille entre les buritys et les bambous brisés.

Pétrifiés, les voyageurs se considéraient, les yeux exorbités d'horreur, ne pouvant croire l'effarante réalité. L'aurore colorée du Brésil envahissait le site, leur révélait la pâleur de leurs visages défaits. Ils ne pouvaient admettre les faits, l'horrible, le monstrueux méfait du vaquero ! Leur barque, qui contenait un trésor de fourrures, avait été volée ! Volée par Joaquino, leur serviteur !

Retrouvant peu à peu leurs esprits, ils comprirent que, non seulement leur précieux butin de chasse était perdu, mais qu'ils n'avaient plus de barque, plus de moyen de transport en ces lieux où la nature entière se ligue contre les audacieux qui la violentent.

Joaquino...? Il n'hésitait pas à abandonner un homme et une jeune fille en plein Seringal, sans provision, sans boissons alcoolisées, sans quinine contre les fièvres paludéennes et à peu près sans munitions. Ils n'avaient que les balles dont étaient chargées leurs armes et qui garnissaient leurs bandoulières, et les machettes pendues à leurs ceintures.

Le front appuyé sur l'épaule de son père, Christine eut un sanglot, mais pas une larme ne ternit son regard. Dans sa poitrine montait une étrange sensation comme si son cœur se changeait en bloc de glace. Son cerveau retrouva cent images qui ne s'effaceraient jamais plus de sa mémoire. L'inconcevable conduite du vaquero harcelait sa conscience... Cet être pervers n'avait jamais cessé de se moquer de ses maîtres, en feignant la soumission, la condescendance ; il obtempérait au moindre désir exprimé, au moindre geste ou regard... même les prévenait-il. Il n'avait jamais cessé de boire, en épiant les alentours des campements, cherchant le moyen, l'heure propice pour s'évader. Il avait définitivement décidé son crime... son double crime ! la veille, lorsque, le cigarro au coin des lèvres, il n'avait arrêté d'aller et venir, préparant sa fuite, alors que son maître et sa fille devisaient tranquillement, jouissant d'une soirée exquise... Pourquoi Christine n'avait-elle pas fait remarquer à son père ce doigt nerveux de l'homme qui n'arrêtait de taquiner la lèvre, tandis qu'il répondait par un grognement à leur « bonsoir » ? Et son regard gêné, plus faux et cauteleux que jamais et cette gorgée de vin si brutalement ingurgitée et sa retraite précipitée qui, déjà, ressemblait à une fuite ?

— Papa, murmura-t-elle. Je me sens terriblement coupable !

— Pas de ça ! trancha violemment Talman. S'il y a un coupable c'est moi ! Il m'appartenait de décider, de prendre mes responsabilités. Toi, tu n'as écouté que ton bon cœur, tandis que moi j'ai failli à mon devoir ! D'abord en t'emmenant ! Puis, en engageant cet homme !

Dans un élan de tendresse, elle se jeta dans ses bras :

— Mon papa ! Qu'allons-nous deve... heu... qu'allons-nous commencer ?

Il frissonna et aspira bruyamment. Une toute jeune fille, *sa fille*, son enfant, comptait sur lui *pour qu'il la rendît à la vie...* cette vie qu'au fond de lui-même il savait irrémédiablement perdue !

Il baisa tendrement son front et, d'un doigt incertain, souleva le visage dans lequel deux grands yeux confiants cherchaient éperdument les siens. Puis son regard s'évada vers les jolies fleurs, vers le ciel éclatant de chants, de couleurs et de lumières, vers l'univers si beau, si reposant la veille... aujourd'hui des décors aux découpures farouches dans lesquelles les attendaient les plus brûlants dangers et la main froide de la mort ! Pourtant, il lui sourit :

— Ce que nous allons commencer, ma Chris ? Avant tout : demeurer calme et raisonner sagement. Viens. Remontons. Pas la peine de chercher un moyen de poursuivre le voleur et de reconquérir nos biens : il n'en existe point. Nous allons faire du feu et une bonne tasse de thé.

— Oh Dieu ! Pourvu qu'il en reste !

— Je le pense, dit Talman. Car, regarde ces jerrycans vides, ces coffres, et ici un sac de farine et... oui : du sucre, du sel, nos trois dernières boîtes de corned-beef et des sardines. Ha ! Il est rusé le gredin ! Il sait que, seul, il rencontrera des difficultés inouïes avec un canot si lourdement chargé. Il n'a conservé que deux boîtes de légers biscuits ; il pourra atteindre Santarem où il lui suffira de vendre une petite peau pour se nourrir !

— Mais... l'aubergiste de Santarem ne reconnaîtra-t-il pas notre barque ? ne se souviendra-t-il pas que nous étions trois au départ ? N'aura-t-il pas de soupçons ?

— Ce vaquero, élevé dans les forêts, connaît des plantes et des arbres dont l'écorce fournit différentes couleurs. Il repeindra la barque et les coffres... L'aubergiste n'y verra que du feu.

— Mais... plus tard, papa, nous le retrouverons ! Nous chercherons jusqu'à ce que nous l'ayons retrouvé ! Son acte infâme doit être puni !

— Bien sûr ! Il mérite la potence, mais nous y songerons le moment venu. Maintenant occupons-nous du plus pressé.

Le vent s'était couché ; il semblait avoir lancé toute sa fraîcheur en une seule nuit ; la journée promettait de devenir une fournaise. Lorsqu'ils eurent atteint la clairière, Talman alluma le feu puis considéra la flamme de son briquet qu'il referma avec un claquement sec ! En rassemblant quelques victuailles, il s'enquit :

— As-tu des allumettes dans ta tente, Chris ?

Elle comprit la gravité de la question. Dorénavant tout objet serait compté, mesuré... elle avala sa salive et, la voix rauque :

— Oui. Et une bougie et ma torche électrique et la lampe à pétrole... qui nous sera sans doute inutile.

— L'essence dans mon briquet doit être à peu près épuisée, reprit Talman d'un timbre égal. Je vais voir s'il en reste dans la tente.

Christine suivit son père. Ils trouvèrent le petit bidon contenant l'essence spéciale pour briquet, aux trois quarts vide ; la torche électrique de Talman ; une boîte d'allumettes... vide ; sa pipe ; un paquet de tabac entamé et un tube ne contenant plus que trois cachets de quinine. Le chasseur fit danser le tube trois fois dans sa main, puis, le serrant à le broyer, il fourra son poing au fond de sa poche et sortit.

Rien que trois cachets de quinine...

Christine, sachant ce que représentait l'absence de ce médicament vital dans les tropiques, baissa la tête, la gorge nouée.

Elle puisa de la farine dans le sac, y joignit un peu de graisse d'oie et de l'eau, et malaxa le mélange jusqu'à ce qu'elle obtint une belle pâte lisse. Lorsque les maigres crêpes furent cuites, elle en apporta une à son père. Assis à même le sol, les coudes sur les genoux et la tête entre les paumes, il ne l'entendit pas approcher.

— Il faut manger, papa, murmura-t-elle. Nous ne pouvons perdre nos forces.

Il se redressa et coupa la crêpe en deux morceaux.

— Saupoudre-la de beaucoup de sucre, suggéra Christine.

Talman secoua la tête et dit doucement :

— Nous devons épargner le sucre, Chris ; nous en aurons besoin. Ainsi que la farine, le riz, le sel et les biscuits qui restent. Quant à la boisson, nous boirons de l'eau. Il y en a partout.

— Comment ? s'étonna Christine. Veux-tu dire que nous allons devoir traîner tout ce barda en plus de nos tentes, de nos...

— Nous ne prendrons qu'une seule tente : la tienne, la plus petite. Et *moi* je traînerai tout ce barda.

— Mais, pourquoi ne pas vivre en vrais Robinson en nous

nourrissant de volailles, de petits quadrupèdes, de plantes, de fruits ?

— Nous le pourrions. Mais peut-être serait-il sage d'épargner nos munitions pour défendre nos vies. Qu'en penses-tu ?

— Ha... oui, hacha Christine. Alors, il nous reste la pêche !

— L'on y perd trop de temps. Nous devons aller de l'avant, atteindre au plus tôt le Rio Tapajoz. Ecoute-moi bien, Chris, je dois te parler comme à un homme et tu dois agir comme tel : l'avenir qui se présentait sous un jour si merveilleux hier est, aujourd'hui, complètement bouleversé ; notre situation est tragique. Tu as appris à connaître ce pays grouillant de bêtes menaçantes ; tu connais des insectes qui, sans les moyens que nous avons de nous en préserver, nous dévoreraient. Nous pouvons nous estimer heureux de n'avoir pas encore rencontré les pires : les minuscules pelvoras qui vous couvrent le corps de piqûres, les piums qui vous injectent du poison dans les yeux, les abeilles, inoffensives en quelque sorte, mais qui se glissent dans le nez, les oreilles, la bouche, sous les vêtements, vous rendant l'existence horrible ! Puis, il y a les fourmis. Ha, les fourmis ! Elles foncent en colonnes, dressées comme un régiment. Là où passent leurs légions, elles sont partout, elles détruisent tout, il ne reste qu'elles seules en vie ! Prions Dieu, qui nous en a préservé jusqu'ici, de nous épargner leur rencontre ! Maintenant, parlons de nos munitions : je suppose que ton revolver est toujours chargé et que tu portes sur toi tes six cartouches de réserve. Il ne nous reste en tout que dix-sept coups de carabine... nous en lâchons plus en une seule matinée ! Tu sais ce que ça signifie. Nos revolvers ne peuvent servir qu'en cas de danger imminent ; nos carabines doivent nous nourrir. Hélas ! Il ne faudra pas long pour que nos quarante-trois balles soient épuisées ! Pour lors, nous devons avoir appris à nous défendre par ruse et nos réserves devront nous sauver, avec, espérons-le, quelques fruits... et quand même un animal ou autre car nous avons toujours nos sabres d'abattis. Maintenant, rassemblons nos impedimenta ; commençons par plier la petite tente.

— Et moi je m'en chargerai.

— Tu...? Bon. O.K. Moi je prendrai le reste.

— Et... papa... la quinine ?

— Là, dans ma poche, fit brièvement Talman en tapant sur sa cuisse.

Christine leva des yeux inquiets vers son père :

— Et quand nous n'en aurons plus ?

— Hé, dis-moi donc, mon petit : en as-tu pris ce matin ?

— Oui. Le dernier cachet de mon tube. Je comptais t'en demander...

— Je sais. Moi aussi j'en ai pris ce matin. Mais tu sais bien, ma Chris, que toi et moi nous sommes très résistants contre les mille et un dangers des tropiques ! Avoue que tu oublies plus d'une fois d'avaler cette fichue petite drogue obligatoire, non ?

— Dame ! Mais...

— Mais quoi ? Je t'écoute ?

— Rien ! tu as raison ! Oublions tout ça ! Nous y songerons plus tard, s'il le faut ! Nous en sortirons d'ailleurs parfaitement ! Quinine ou non ! Munitions ou non ! Les fauves n'auront qu'à bien se tenir ! A propos, combien de milles d'ici au Tapajoz ?

— Je n'ose me prononcer avec certitude. A vol d'oiseau, peut-être quatre cents ? Peut-être trois cent cinquante ?

— Donc : trois cents tout au plus ! Je te connais, va ! Et combien estimes-tu que nous serons capables d'en avaler par jour ?

— Entraînée comme tu l'es ? Sur le billard d'une autoroute : soixante, sans la moindre fatigue. Ici dans ce pays impossible, pas le tiers et avec grande fatigue. Peut-être pas dix ! si les inondations se mettent de la partie, ou si nous rencontrions d'autres ennuis.

— J'opte pour une moyenne de quinze milles par jour. En conséquence, ça fait moins de trois semaines pour atteindre le Tapajoz et nous embarquer sur un navire !

Talman se garda de répondre. Il aida sa fille à attacher la petite tente sur ses épaules et chargea lui-même un lourd sac à dos.

— En route ! clama-t-il en ramassant son fusil, et sans un regard de regret pour ce que nous laissons derrière nous !

Sa main libre donna une tape sur l'épaule de Christine :

— Tu es une petite fille courageuse ! Je suis sûr que nous nous en sortirons !

— Je n'en doute pas, murmura la voix grave et pure. J'ai

l'impression que Dieu marche entre nous, nous tient la main, nous guide. Il nous appartient de nous y accrocher.

— Ha ! dit Talman, bouleversé. Comme tu me rappelles Thérèse, ma femme, en pareils moments !

— Maman ? Je suis sa fille.

— Elle t'a élevée... avec l'aide de Dieu, pour ma plus grande joie. Elle aussi veillera sur nous !

Ils allèrent, la main dans la main.

Confiant, le jaguarundi trottait silencieusement derrière eux.

CHAPITRE IX

Après dix-sept jours de marche harassante, ils n'étaient plus que deux épaves humaines perdues dans l'immensité écrasante des forêts. Les terreurs cachées dans les terres moites sous le dôme des fourrés, grignotaient progressivement leurs forces.

Les cachets de quinine étaient épuisés depuis longtemps ; quant aux munitions, seul le revolver de Christine contenait encore deux balles ; les armes à feu, devenues inutiles, avaient été abandonnées.

Les longues étapes parcourues tous les jours avaient été un enfer. Des orages d'une violence extrême avaient sévi les neuf premières nuits. Tous les soirs le ciel tournait du bleu turquoise au gris acier puis s'emplissait de formes dantesques qui crevaient avec des bruits terrifiants en vomissant toutes leurs laideurs à la fois. Les torrents de pluie transformaient les plaines et les étangs en fondrières ; les heures, dont les voyageurs étaient en droit d'attendre quelque repos, furent faites de fuites et de frayeurs sous le vent qui empoignait les chevelures des arbres et la foudre qui fracassait les troncs. Les bêtes, terrifiées, se terraient, puis, trop affamées, attaquaient aux moments les plus inattendus. Cent fois les deux errants avaient frôlé la mort, cent fois ils en avaient réchappé. Ils longeaient le marigot pour autant que le leur permettaient les eaux impétueuses, et franchissaient les bréjos transformés en torrents furieux, soit en y abattant un arbre qui leur tenait lieu de pont, soit en les contournant largement, perdant des heures précieuses. Talman avait songé à construire une balsa — ou radeau — assez résistante pour supporter une longue navigation ; elle ne pouvait être faite de roseaux, fussent-ils solidement assemblés, mais de troncs d'arbres, de préférence des palmiers buritys, bois à la fois léger et robuste. Jusqu'à leur départ, ces palmiers — tel que les bambous bruns — se rencontraient sur toute les berges, ils croissaient par centaines le long de toutes les eaux. A présent que les voyageurs les cherchaient comme l'on cherche à s'accrocher à la vie, les buritys semblaient effacés de la surface du globe. Talman attribuait leur absence aux terres inondées qui déplaçaient les rives habituelles. Ils ne pouvaient avancer qu'en direction Sud, alors que le Tapajoz qu'ils devaient rejoindre se situait au Nord-Est.

Après les nuits d'orage, le marigot, élargi comme un fleuve, charriait les arbres les plus lourds, ne permettant plus guère de mettre une balsa sur l'eau ; elle eut été broyée aussitôt.

Talman et Christine se traînaient, tantôt sous les voûtes pleines d'embûches, tantôt exposés sur les plateaux au soleil brûlant et à tous les regards.

Dix-sept jours avaient passé ; Talman était fiévreux, Christine soutenait son père. A la nuit tombante, dans l'air moite alourdi de vapeur, ses moindres mouvements lui furent pénibles. Elle n'ignorait plus guère qu'un carrousel mortel avait débuté. Un changement immédiat s'imposait pour arrêter la chaîne affolée qui les entraînait à une allure vertigineuse vers le gouffre de la mort. Elle espérait ce changement et cachait courageusement à son père, plus éprouvé qu'elle-même, quelles angoisses elle éprouvait. Ils atteignirent un endroit élevé, où l'eau se précipitant au-dessus des rochers, retombait à un niveau plus bas qui n'était pas sa route habituelle. Ils s'arrêtèrent près d'un abîme hérissé de rochers qui se continuaient en haute muraille lisse, impraticable aux animaux. Le lieu était sinistre mais pourrait être défendu avec succès. En aidant son père à s'étendre, Christine remarqua ses mains brûlantes, son regard humide et las, ses joues pourpres et luisantes...

— Papa ! appela-t-elle éperdue.

Au son de la voix inquiète, Talman frémit, mais il lui sourit :

— Je crois, ma chérie, que nous avons tous deux un besoin urgent de refaire nos forces, car nous ne sommes pas au bout de nos peines. Laissons à l'eau le temps de se retirer plutôt que de continuer à contourner les étangs et les ruisseaux éternels !

— Mais... s'il repleut, papa ?

— Un risque à courir ! Entre-temps nous nous reposerons et redeviendrons vaillants. Heureusement tu résistes mieux que moi au régime qui nous contraint à nous passer de quinine et, par conséquent, aux fièvres. Tu es une jeune plante vigoureuse que l'air empoisonné ne flétrit point.

— Ne ris pas ! protesta-t-elle. Il ne s'agit pas seulement de moi !

— Je suis très sérieux ! N'as-tu pas dit que Dieu nous tient par la main et nous guide ? N'as-tu plus confiance en Lui ?

— Oh si ! souffla-t-elle en joignant les mains. Envers et contre tout ! Et surtout quand je semble l'oublier !

— Donc il nous suffira de simplement continuer à vivre du mieux que nous le pourrons en aidant Dieu dans sa tâche. Rassemble du bois sec et allume le feu, là, contre le vent, puis monte la tente ; appuie-la contre la muraille en n'oubliant pas de surveiller les lieux. Quand je me serai reposé une heure, je roulerai des blocs de granit devant l'ouverture et nous pourrons dormir tous les deux.

— Comment ? Et sans veiller ?

— L'endroit peut être rendu inaccessible et si, malgré tout, un danger se présentait, Rundy nous avertira.

— Rundy... oui, soupira-t-elle infiniment lasse.

Une légion de maringuoins se mit à bourdonner autour d'eux. Christine y fut à peu près insensible mais voulut en préserver son père. Devenue adroite à manier la machette, elle trancha une branche de pin et alluma l'extrémité du bouquet dont la résine s'enflamma comme une torche. Les dents serrées, elle grésilla une partie des insectes ; l'âcre fumée chassa les autres ; elle aida son père à se coucher sous la tente dressée et la ferma.

— Surveille, Chris ! dit encore Talman.

— Dors sans crainte, papa, dit-elle. Tu sais que j'ai l'habitude à présent. Quand le feu brûlera, cet endroit, aux trois quarts défendu par un précipice et ce mur, offrira toutes les garanties voulues.

Talman dormit plus de trois heures. En quittant la tente dans la nuit qu'enténébrait déjà le site, il trouva sa fille, se découpant comme une ombre chinoise sur un rideau de feu ; les lueurs du foyer fouillaient les recoins et les détours, les ombres dansaient sur le roc, créant un décor dantesque. Dans le jeu des flammes au-delà du brasier, deux jaguars, aux yeux luisants comme d'énormes lucioles, attendaient.

— Pourquoi ne m'as-tu pas réveillé ? murmura Talman. Sont-ils là depuis longtemps ?

— Bah, depuis une heure ! Il te fallait ce repos, papa.

— Certes, et je m'en trouve mieux. Je vois que tu as pu rassembler une belle provision de combustible ; mais de toute manière insuffisante pour maintenir pareil feu toute la nuit. Je vais rétrécir l'ouverture en y amoncelant des rocs. Si les bêtes approchent, jette leur des pierrailles dans les yeux avant de passer aux brandons allumés.

— Je crois avoir trouvé mieux, chuchota-t-elle se forçant à un peu de malice. J'ai là une quantité considérable de branches de tornélies ; nous mangerons les fruits et brûlerons les feuilles. Il n'y a qu'une légère brise, tout juste ce qu'il faut pour faire ramper la fumée, drôlement aromatisée, sur le sol et chasser les fauves, s'ils ne veulent pas se laisser asphyxier.

Ils mangèrent les fruits délicieusement parfumés et jetèrent les branches sarmenteuses dans les flammes.

— Voici aussi des limas contre les moustiques, dit Christine. Et j'ai découvert ces petits fruits bleuâtres. Les connais-tu ?

— C'est le fruit du taruma, des arbres quelquefois énormes ! Le goût, bien qu'un peu acidulé, a néanmoins une grande saveur.

— Il reste des tranches de viande sèches pour dîner, nous mangerons ces fruits comme dessert et demain j'en cueillerai une bonne provision. Le taruma n'est qu'à une cinquantaine de mètres d'ici.

Enfumés, les jaguars s'étaient mis à éternuer et grattèrent furieusement l'herbe. Finalement, avec une majestueuse lenteur, ils s'éloignèrent, en quête d'autres proies.

Christine aida son père à édifier un haut mur peu stable dont, au moindre assaut, les rocs s'effondreraient partiellement sur l'ennemi et éveillerait les dormeurs ; ils ne risquaient pas d'être pris par traîtrise. Pourtant, Christine ne dormait que d'un œil ; avec l'habitude, elle y était devenue très adroite. Ils connurent deux jours et deux nuits tranquilles et sans orages dans cet abri sûr où les fruits abondaient et où Talman eut la chance de pouvoir tuer un iguane, grand reptile à la chair exquise, à la machette. Au petit matin du troisième jour, se sentant reposé et voyant Christine alerte, il décida de reprendre la route. Chargés de la tente, d'une bâche, d'une provision de fruits et de carna secca — tranches de viandes séchées de l'iguane — les bottes des voyageurs recommencèrent à malaxer la boue.

De-ci de-là, dans les trouées de soleil, fleurissaient de jolies petites fleurs mauves serrées dans leur corselet de verdure ; de grands papillons colorés y folâtraient, puis s'évanouissaient dans l'ombre profonde du sous-bois ; les orchidées émaillaient la mousse par milliers.

En quittant le Mas, Christine avait été sensible à tant d'œuvres d'art composées sur son passage. A présent son regard glissait, morne, sur les richesses des sites. Elle épiait les dangers des terres moites et spongieuses, les sphaignes gorgées d'eau se muant en tourbe noirâtre, les sentes rocailleuses, les ravins tortueux, les pentes gluantes. Les difficultés à affronter semblaient insurmontables ! Au départ elle s'était préparée à une vie mystérieuse et attrayante dans laquelle elle jouerait avec violence son rôle...

Il avait suffi d'un vol... le vol bénin d'un canot pour anéantir tout espoir... jusqu'à l'espoir de vivre ! A certains moments elle laissait encore vagabonder son imagination, se fabriquant un univers plein de rêves d'avenir. Puis elle retombait dans le présent au milieu de la sudation suffocante. L'atmosphère devint de plus en plus lourde ; chaque heure fut plus pénible. Soudainement ils furent arrêtés par une cascade fumante. Ils longèrent le cours d'eau qui allait probablement grossir un affluent du Rio Tapajoz, espérant découvrir un passage, un rétrécissement, un arbre renversé qui leur permettrait de gagner la rive opposée...

Les forces de Talman déclinaient. Dévoré par les fièvres, il n'était plus capable de couper un tronc sur lequel ils pourraient franchir le cours d'eau.

Et ils allaient, ils marchaient, ils se traînaient dans les sous-bois malodorants, émergeaient dans les savanes sans fin, descendaient les gorges profondes, les remontaient, se cachant des bêtes féroces, les éloignant en usant de toutes les ruses. Ce jour-là, ils se nourrissaient machinalement le midi sans interrompre leur marche titubante sous le soleil accablant. Et tout d'un coup ils se trouvèrent acculés dans un cul-de-sac au milieu de murs abrupts. De crainte qu'il ne s'écroulât, Christine obligea son père à s'asseoir sur un roc. Pas une verdure, pas une fleur sur la terre nue poussiéreuse, pas un être vivant dans ce site mort. Cependant, Christine, oubliant sa propre faiblesse, se consacra à soulager son père. Goutte à goutte, elle capta un mince filet d'eau, difficilement accessible, dans une fissure de roc, et lui rafraîchit le visage. Après un examen plus approfondi, elle comprit que dans leur demi-inconscience, ils s'étaient fourvoyés dans une contrée inhabitable à laquelle les caprices de la nature épargnaient les inondations et les ouragans et simultanément les pluies salubres ; une contrée où les plaques de terre arides dans les crevasses des rocs demeuraient sèches et stériles depuis plusieurs semaines.

Avant que Christine eût érigé la tente pour y abriter son père, l'étroit filet d'eau dans la fissure s'était tari. Les yeux exorbités d'affolement, la jeune fille chercha vainement un peu d'eau dans ce lieu perfide. Comment avaient-ils pu s'égarer de la sorte ? Comment avaient-ils abouti dans cet endroit sans issue en avant, où ils étaient dans l'impossibilité de retourner en arrière, car ils ne pouvaient perdre de temps ! Angoissée, elle se jeta vers la tente. Talman dormait, le souffle court et ruisselant de sueur ; ses lèvres sèches enflaient peu à peu, la peau tendue à craquer. Terrifiée, Christine considérait le malade... Sa solitude soudaine l'horrifia.

— Papa ! hurla-t-elle frisant la peur panique. Papa ! Eveille-toi ! Lève-toi ! Je t'aiderai ! Fuyons ces lieux, retournons en arrière ! Rejoignons les forêts, les bourbiers, les fauves ! Là où ils vivent nous pouvons vivre aussi ! Fuyons d'ici !

Les forces soudain décuplées, elle redressa le malade, chargea la tente et tira, poussa, traîna... Ils quittèrent ces lieux où guettait la mort lente, plus atroce que la fin la plus tragique au sein des forêts. Ils allaient, à l'ombre de hauts murs granitiques ; toute minute dura une heure, tout pas fut un calvaire. Le sol rocailleux s'ouvrait sur des crevasses pleines de poussières dont leur marche saccadée fabriquait des nuages étouffants. Ils ne rencontrèrent pas le moindre animal, il n'y avait point d'arbre, ni plante, aucun espoir de s'abreuver, ni de se nourrir. Le monde semblait desséché.

Une plainte sortit de la gorge de Talman. Christine effleura son visage ravagé du regard. La connaissance intime de sa propre souffrance lui permettait de mieux comprendre les souffrances de son père et de vibrer à leur diapason ; elles l'invitaient à tendre l'oreille et, soutenue par sa tendresse filiale, à répandre plus magnanimement la charité. Elle savait sa jeune force *seule* sur le chemin de l'épouvante ; elle se savait *seule* responsable de leurs existences perdues au milieu des redoutables forêts brésiliennes... Seule, avec Dieu !

Ballottée dans l'immensité hostile, elle savait que sans Lui elle ne pouvait rien. Dès lors, tout geste, toute pensée devinrent une prière. « Seigneur, dit-elle simplement, je ne Vous demande pas de guider mes pas à coups de miracle ; daignez seulement Vous souvenir que je mets ma confiance en Vous. » Elle se pencha vers son père :

— Je sais que tu n'es pas capable de continuer, papa, mais tu le dois ! Nous le devons ! Je te soutiendrai, je t'aiderai, dussé-je ramper en te portant ! Nous découvrirons un abri, un lieu sûr où te reposer, te soigner, te guérir ! Car tu guériras, papa ! Tu vivras ! Je le sais ! Je le sens !

La plénitude de sa confiance augmenta sa capacité de souffrir et son endurance.

Talman porta inconsciemment la main à son bidon d'eau ; il était vide depuis longtemps. Il poursuivit sa marche, la langue sèche et enflée, les lèvres rôties. Dans le vaste espace, la lumière aveuglante brûlait les yeux ; la peau des corps déshydratés était moite, payant son ultime sueur à l'atmosphère étouffante.

Christine n'allait plus, n'avançait plus que soutenue par sa confiance, avec au fond du cœur la certitude de vaincre. Elle laissa errer son regard sur l'horizon et, soudain, au milieu de la fournaise fumante, une ligne verte arrêta son regard. Un cri rauque, victorieux, s'échappa de ses lèvres :

— Des verdures ! Là ! Là-bas !

Un lourd soupir fut la seule réponse de Talman.

— Papa ! protesta Christine. Ce n'est pas un mirage ! Redresse la tête ! Allons, fais un effort ! Regarde ce banc de canards qui se lève, qui prend son vol en escadrille ! Les vois-tu ? C'est un lac ! C'est de l'eau, papa ! De l'eau ! Nous sommes sauvés !

Le jaguarundi, haletant et la langue pendante, tendit le cou, huma l'air et, échappant à la surveillance de sa maîtresse, se mit à courir en direction des verdures. Au fur et à mesure qu'ils avançaient, la tache verte s'élargissait. Puis le lac se montra... un lac frangé d'une épaisse végétation basse, une eau perdue, comme eux, en ces lieux inhospitaliers.

La machette à la main, Christine se fraya un passage dans les hautes herbes. Du sable blond et de beaux galets dorés reposaient au fond de l'eau claire. Elle remplit le bidon et revint vers son père, étendu à l'ombre des roseaux.

— Par toutes petites gorgées, papa, conseilla-t-elle d'une voix enrouée. Tel que tu me l'as appris, papa... doucement... doucement...

Elle lui enleva le récipient que, dans son extrême faiblesse, il n'avait pas la force de lui disputer, et humecta un mouchoir dont elle rafraîchit le visage du malade ; elle lui accorda deux autres gorgées et recommença à le laver. Le traitement plusieurs fois répété le soulagea.

— Toi... balbutia-t-il.

Cette syllabe fut la récompense de Christine ; il n'avait plus été capable de parler depuis des heures. Ivre de joie, elle l'embrassa et se rejetta vers le lac dont le pur ovale avait l'aspect d'un immense miroir oublié dans le désert.

Après avoir contourné et fui tant d'étangs, de ruisseaux et avoir maudit toutes les eaux de la terre, les voyageurs avaient appris le sens effroyable du mot ; « déshydratation ». Avec chaque gorgée que Christine avalait, elle avalait une gorgée de forces ; la vie renaissait en elle.

Le lac ne semblait habité qu'à l'autre bout et seulement par les canards noirs dont elle avait surpris le vol massif. Leurs lointains cris nasillards éveillaient seuls le silence oppressant, l'on se sentait emparé d'une sentiment irréel, d'un rêve trop beau...

Le regard fasciné par le spectacle incroyable, Christine laissa s'écouler les minutes ; puis, revenant sur terre, elle installa le campement... pour autant qu'il restait des objets à installer. Elle dressa la tente, assembla des brassées de roseaux brisés qui festonnaient le cortège des verdures et prépara le feu. Après avoir encore une fois rafraîchi son père et jeté un dernier regard sur l'immense plaine tranquille, elle annonça qu'elle allait tuer un canard.

Connaissant tous les pièges à présent et le lac n'étant pas très étendu, elle revint après une heure et demie d'absence, chargée de deux jeunes bêtes, d'un mouchoir plein de petits fruits et de huit beaux œufs frais. Elle déclara d'un ton sans réplique :

— Nous vivrons ici jusqu'à ce que tu sois guéri ! J'ai fait le tour du lac ; il n'y a pas trace d'animaux ; ni une mouche, ni un moustique, sinon des centaines de canards et, dans la mousse, une sorte de crapauds-buffles à la peau horriblement plissée ; ils sont sûrement bons à être mangés. Nous disposerons donc de viande, d'œufs, de fruits et d'eau. Peut-être aussi de poisson. Demain je tresserai un grand toit qui nous abritera du soleil le jour et nous dormirons sous la tente la nuit. Ici, nous pourrons vivre sans feu et ne devrons pas monter la garde la nuit. Nous pourrons nous laver, nous baigner et, par prudence, je ferai bouillir l'eau que nous boirons. Tu guériras vite, papa !

Il lui sourit. Elle s'agenouilla près de lui, le fit boire, puis se coucha à ses côtés et s'endormit aussitôt.

Le jaguarundi veillerait.

CHAPITRE X

Christine entoura le malade de soins dévoués en oubliant de se replier sur elle-même. Ils vécurent vingt jours dans l'atmosphère étouffante de la plaine aride ; cependant, dans l'air pur, balayé par une légère brise, Raymond Talman sentait rapidement revenir ses forces. Tel que Christine l'avait prédit, la nourriture abondait et pas un fauve, ni autre animal ne se montraient.

Munie de la boussole de son père, elle était montée sur un promontoire rocheux à deux milles du lac environ et avait découvert une ligne sombre à l'horizon qu'elle devinait la forêt qu'ils devraient fatalement rejoindre un jour et traverser pour retrouver le Rio Tapajoz.

Au matin du vingt et unième jour, Talman se rendit lui-même sur la hauteur ; ayant perdu ses jumelles et son sextant en fuyant les périls, il ne pouvait situer leur position ni faire le point. Il ne leur restait que la boussole pour se diriger

Outre les soins dont Christine entourait son père, elle avait profité de leur long repos pour réparer, tant bien que mal, les vêtements qu'ils portaient sur eux, les seuls qu'ils possédaient encore. Le beau pantalon grège, acheté voici trois mois, prenait des allures de sac dont tombaient deux étranges tuyaux aux accrocs cousus, recousus et rejoints de toutes les façons imaginables. Les manches de son chemisier de toile s'en étaient allées, petit à petit, en lambeaux ; les vêtements de son père ne valaient guère mieux. Dans ses poches, Christine conservait précieusement une brosse à dents, un bout de démêloir, deux grands mouchoirs de Talman et, à son insu, sa pipe et un reste de tabac. Leurs machettes faisaient office de couverts auxquels suppléaient leurs doigts ; quant aux aliments préparés sans piments ni aromates, ils y étaient habitués.

Dans ce petit eden, situé dans les terres mortes de la savane, Christine avait appris à faire tout avec rien ; ainsi avait débuté l'humanité. Petit à petit l'homme avait fait des découvertes : la manière de faire du feu, de ruser avec les fauves, de se procurer une nourriture saine et variée. Les trouvailles s'étaient suivies, profitant à toute la caravane humaine en marche vers ses destinées. Christine n'était pas femme à se montrer plus faible que ses lointains ancêtres qui avaient façonné le monde ; elle avait sur eux l'avantage de l'expérience et de l'intelligence. En dépit des complexités sans cesse changeantes de la nature, elle mettait ces avantages à profit. Pour comprendre les épreuves de la vie, la profondeur tragique, le caractère brutal, il lui avait fallu ces cruels tâtonnements. Avec l'aide de Dieu, elle les avait vaincus.

A présent, elle se refusa de s'inquièter de l'avenir, cet avenir tout proche : les nouvelles forêts et leurs mystères, les précipices, les bourbiers...? Elle les vaincrait encore !

Talman revint et confirma les suppositions de sa fille : la forêt les attendait à environ dix milles du lac.

Le lendemain avant l'aube, dans le décor encore brumeux, ils rassemblèrent leurs tristes impedimenta. Ils suspendirent leurs machettes, deux bidons d'eau, une gamelle et un gobelet à leurs ceintures. Talman se chargea de la tente, Christine prit la bâche ; son revolver contenant toujours deux balles, restait à portée de sa main.

Ne voulant point s'absorber en regrets, la jeune fille ne tourna pas la tête vers le joli lac qui leur avait sauvé la vie ; elle marcha d'un pas léger aux côtés de son père, suivie de Rundy à qui ne semblait guère plaire la direction prise. Son instinct lui disait que le repos à l'ombre du grand toit, les jeux au bord de l'eau et la chasse dans la mousse mauve, avaient pris fin. Avant la nuit, il redeviendrait « gibier ».

Une chaleur d'étuve régnait dans la plaine. Après quatre heures de marche ils rejoignirent un promontoire et, dans le terrain raboteux, contournèrent l'éperon. Ils montèrent sur une petite plate-forme abritée par un rocher en surplomb et restèrent figés dans une muette contemplation. Au delà de l'étendue rocheuse à leurs pieds où, de-ci de-là, quelques buissons rabougris puisaient une maigre subsistance dans les crevasses remplies de terre apportée par le vent, la forêt s'étendait à l'infini ; d'immenses bouquets de fleurs se disputaient la lumière à sa lisière. Tandis que l'autre versant de la montagne n'était qu'un énorme rocher nu, planté sur une terre sans vie, ce côté-ci offrait un site de la plus luxuriante beauté sylvestre.

Lorsque les voyageurs furent revenus de leur surprise, ils prirent un rapide repas et repartirent vers la forêt.

Un à un, les moustiques revenaient, puis leurs grappes attaquaient avec les mouches bleues et vertes et tous les horribles insectes dont Talman et Christine avaient oublié l'existence. La jeune fille considéra le visage fermé de son père, ses mains humides qui chassaient si inutilement les nuées bourdonnantes, et son geste las, soumis à l'inévitable qui la fit frissonner de peur. Ils retrouvèrent les odeurs d'humus, les végétations pourries et les terres spongieuses sous les pieds... une atmosphère qui portait en elle toute la puissance des fièvres en gestation. Ils approchaient inexorablement du mur noir de la forêt qui constituait un rideau dont les furtifs bruissements permettaient de voir, en imagination les horreurs qui menaceraient à nouveau leurs faibles existences.

Une nuée de sarcelles bleues naviguait au-dessus de leurs têtes ; les fleurs les plus somptueuses accueillaient les errants ; la pluie et le soleil s'étaient conjugués ici pour en assurer l'abondance. L'ombre les happa. Ils passèrent dans un couloir fait d'enchevêtrements de plantes grimpantes et durent trancher de longues lianes fleuries qui pendaient comme des serpents. Des palétuviers, aux troncs tordus et semblant sculpté dans l'ébène, ouvraient la forêt qui se referma sur eux comme une trappe. Ils reconnurent le silence enveloppant de la brousse, une tranquillité qui contient les pires menaces, troublée seulement par le grouillement des innombrables insectes.

— Papa ? appela Christine. Comment te sens-tu ?

— Bah ! fit-il avec un haussement d'épaules. Tel qu'il fallait s'y attendre : cette atmosphère ne me vaut rien !

Christine se mordit la lèvre avant d'oser suggérer :

— Pourquoi ne retournerions-nous pas vivre encore un peu près du lac ?

— Comment ? Ma parole ! Parles-tu sérieusement ?

— Oui, papa ! Oui !

— Chris ! Mais... voyons, tu sais bien que nous devons...

— Rien ! interrompit-elle en se jetant dans ses bras. Tu n'es pas suffisamment remis ! Tu n'es pas encore en état de supporter ce...

Elle trancha sa phrase et pleura silencieusement contre lui. Elle sentait trembler les mains qui caressaient ses cheveux et une joue brûlante s'appuyer sur son front.

— Chris, reprit-il doucement. Sois forte ! Tu as prouvé que tu en es capable. Songe que chaque pas nous rapproche du but. Nous ne pouvons retourner vers le lac... il est déjà... trop tard.

Jetant la tête en arrière, elle considéra son père, les yeux dilatés d'horreur : ces prunelles déteintes ? ce regard luisant ? Ces lourdes paupières enflammées ? ces joues pourprées ? ce front moite ?

Hélas ! Il avait suffi de quelques heures de marche sous le soleil brûlant avec les fatigues qu'elles comportent pour un convalescent et de retrouver l'air de la forêt, vicié par les émanations morbifiques des substances en décomposition, pour que la maladie le ressaisisse avec la soudaineté d'un rapace fonçant sur sa proie.

— Allons, allons ! se fâcha Talman. Que vas-tu t'imaginer ? Nous nous sommes déjà trouvés dans d'autres impasses et tu les as surmontées. Vois, là-bas tout au loin il y a une trouée de lumière. Nous devons l'atteindre avant le crépuscule ; il y aura de l'air et si l'endroit s'y prête, nous nous y reposerons un jour.

Très pâle, Christine acquiesça de la tête et soulagea son père de la tente. Trop lourdement chargée elle-même, elle se remit en route en butant sur les aspérités et le terrain inégal, les yeux tournés vers les fourrés d'où pouvait surgir la mort à tout instant.

Lorsqu'elle entendit haleter son père derrière elle, elle ralentit encore le pas, puis le soutint pour longer un précipice. Les forces, si lentement revenues au malade, déclinaient rapidement.

Plus qu'autrefois, Christine se sentait seule dans le sombre chemin à parcourir. Comment surmonterait-elle les lacunes, ses insuffisances, dont la prise de conscience lui donnait des frissons ?

Talman se taisait. De temps à autre il consulta la boussole ; dans ces horizons bouchés l'on ne marche pas sans se guider.

Soudain le chat sauvage gémit...

L'avertissement les arrêta sur place, les regards aux abois. Presque aussitôt la machette de Christine déchira l'air avec un bruit mat. Foudroyé, un jaguar tomba de l'arbre à leurs pieds... il était prêt à bondir sur eux...

La jeune fille passa la langue sur ses lèvres en caressant machinalement la tête de Rundy. Après un long regard alentour, elle s'approcha du fauve, arracha sa machette et rejoignit son père. Son revolver retourna à sa place, il contenait toujours deux balles.

— Vite ! haleta Talman, sans donner d'autres signes d'émotion. Nous devons atteindre cette clairière !

— Ne sera-ce pas un étang où un lac où les fauves viennent se désaltérer ?

— Peut-être... mais qu'importe !

L'impatience prit la place de l'angoisse. Deux autres heures passèrent ; le crépuscule s'annonçait. Talman, traîné par Christine, n'était plus capable de réfléchir, ni de répondre aux questions, il déplaçait mécaniquement les pieds, de plus en plus lourdement.

Des ombres indéfinies rampaient autour d'eux et se glissaient sous la vase. Isolée au milieu du danger, Christine vacillait à l'idée de son impuissance, ce sentiment de ses limites dont la rapprochait toute seconde. De temps à autre elle s'arrêta, appuya son père contre un arbre, ne lui permettant pas de s'asseoir, de crainte de ne plus pouvoir le relever, et lui fit boire un peu d'eau. Ils devaient aller de l'avant, atteindre un endroit propice pour camper, une fortification naturelle qui les défendrait contre les fauves.

Un sourd grondement s'élevait du côté de la clairière semblable à une lointaine chute d'eau. Peut-être trouveraient-ils là des rochers ? peut-être une grotte ?

Christine suspendit le bidon à sa ceinture ; elle abandonnerait la bâche et ne rechargerait plus que la tente sur ses épaules endolories. Soudain Rundy jeta un cri de terreur et disparut dans les futaies. En l'espace d'un éclair Christine vit luire deux yeux et une masse sombre tomber sur eux. Elle jeta son père dans les fougères, deux coups de feu claquèrent... elle avait agi avec une rapidité telle que le corps de la panthère noire qui les assaillait les dépassa et s'abattit pour ne plus se relever.

Rundy revint. Hagarde, Christine considéra l'arme fumante dans sa main ; le revolver inutile désormais... ses doigts s'en détachèrent lentement... il glissa sur sa paume et tomba, sans bruit, dans la fourrure du fauve. D'un geste automatique du bras, elle essuya la sueur sur son front, puis se pencha vers son père. Les quelques gorgées d'eau qu'il venait de boire semblaient l'avoir ranimé, il était conscient du drame qui venait de se jouer ; Christine eut la chance de pouvoir le redresser et ils repartirent. Le double poids qu'elle devait soutenir, s'alourdissait peu à peu, épuisant ses dernières forces. Ils s'arrêtèrent devant un bourbier, sombre comme une mare d'encre, encerclé de gigantesques figureras aux troncs multiples... quelques centaines de mètres au delà souriait la clairière.

Christine considérait avec rancune la vase qui leur coupait la route vers la rivière dont les méandres serpentaient comme un énorme reptile à travers la forêt. Ils devaient atteindre cette clairière coûte que coûte ! Mais contre quels éléments inconnus devrait-elle encore lutter ? Ses forces physiques déclinantes les rapprochaient du désastre.

La forêt s'assombrissait. C'était l'heure où les grands fauves se mettent en chasse.

Courbée sous le joug, Christine tira son père en avant le long des terres bourbeuses vers le grondement de l'eau qui ne pouvait être qu'une cataracte. Le bruit fut soudainement terrifiant ; elle revit la rivière qui cessait brusquement et plongeait dans un immense chaudron fumant.

Tout à coup Talman s'affaissa, sans que Christine put le retenir.

— Papa ! papa ! haleta-t-elle en le tirant. Encore un peu de courage, papa ! Un peu... ô Dieu, ayez pitié !

Saisie d'une angoisse folle, ses forces se décuplèrent ; elles remit son père sur ses pieds et recommença à le traîner. Elle ne se demandait pas quelle était cette eau furieuse, ne vit pas les grappes de fleurs les plus splendides de la création, ne chercha plus à comprendre ses énigmes impénétrables. Elle essayait encore de retenir un peu la VIE qui s'en allait comme un flot, elle devait trouver un endroit où abriter son père.

Lorsqu'il tomba à nouveau, Christine pleura, désespérée. Elle n'avait plus la force de le redresser...

Les verdures et les fleurs se mirent à tourner devant ses yeux ; elle laissa choir les bagages. Soulagée de ce poids, son regard retrouva lentement les formes des choses ; elle put donner une gorgée d'eau au malade. Il la fixait de ses grands yeux fiévreux, muet, désemparé ; il savait que leur voyage touchait à sa fin. Le visage trempé, il grelottait, autant de peur pour son enfant, que de sa fièvre paludéenne. La gorge verrouillée, Christine ne put articuler une syllabe ; ses larmes se mêlaient à la sueur sur ses joues. Dans son effondrement subsistait encore la conscience de ses obligations et tendresse filiale. Elle trouva la force et les gestes nécessaires pour dresser la tente au-dessus de son père, de trancher quelques branches de pin qu'elle eut la chance de pouvoir facilement allumer et de les jeter sur les pierres, où elles se consumeraient en moins d'une heure. Une phrase lui revint en mémoire : « *Seigneur, si Vous savez nos vies nuisibles au salut de nos âmes, enlevez de nos cœurs le désir de vivre. Que votre volonté soit faite et non la mienne.* »

Plus fort que le bruit du torrent, le feulement d'un rôdeur affamé déchira la forêt. Terrifiée, Christine se glissa sous la tente. Son père haletait. Des mots inintelligibles sortaient de ses lèvres. Il délirait.

Christine se tendit vers le bidon d'eau qui ne contenait plus que quelques gorgées et qu'elle n'avait pas eu la force d'aller remplir. Ses oreilles s'emplirent de mille bruits, sa tête bourdonnait, le déchaînement soudain de son cœur semblait vouloir rompre ses côtes.

Elle ne put achever le geste. Avec un gémissement de douleur et d'impuissance, elle s'effondra, inconsciente, contre son père.

Une machette, deux bidons, une gamelle et un gobelet traînaient sur le sol devant la toile ouverte...

Le jaguarundi se coucha entre la tente et la flamme protectrice qui illuminait la scène tragique. Soudain une lueur rouge jaillit du foyer, faisant danser des ombres fantastiques sur le roc et les verdures... puis, elles faiblirent et moururent lentement.

Et la nuit s'installa, éveillant les hôtes des forêts.

CHAPITRE XI

Christine écoutait jouer le glou-glou d'un liquide tombant dans un récipient.

Non. Pas possible. Elle devait rêver... C'était le bouillonnement du torrent qu'elle entendait. Mais, pourquoi l'entendait-elle ?

Elle essaya d'ouvrir les yeux ; elle n'en eut pas la force et soupira. Même ce soupir endolorissait son corps... Tout à coup le glou-glou cessa. Elle comprit que c'était vraiment un liquide qu'elle avait entendu tomber dans un récipient.

Faisant un effort, elle parvint à soulever ses paupières ; à travers une moustiquaire, elle vit un grand feu de camp briller clair, contre le rideau noir de la forêt, et l'ombre d'un homme aller et venir. Non loin de là deux hamacs, alourdis de corps, étaient également protégés par des moustiquaires. Ne pouvant y croire, Christine désira s'en assurer elle voulut pincer dans son bras, mais au moindre mouvement une exclamation de douleur lui échappa.

Aussitôt, l'homme se précipita vers elle, une grande main noire écarta la moustiquaire.

— Jo... sua, balbutia Christine. Toi... ici ? O Josua ! Josua ! Où est... Mahila ? Où est-elle ?

Un rire étouffé glissa dans ses oreilles. Le Noir se mit

à gesticuler en parlant avec volubilité, s'exprimant dans ce mauvais portugais en usage dans le pays et intercalant des mots étrangers à sa convenance. Christine comprit enfin que le Noir n'était point Josua.

Dans quelles mains était-elle tombée ? Qu'était devenu son père ?

— Mon père ? hurla-t-elle. Papa ? Papa, où es-tu ?

Sans doute les premiers mots qu'elle avait prononcés n'avaient-ils pas été fort distincts. Elle demeura bouche bée en entendant le Noir répondre en français :

— Le monsieur va très bien. Il dormira jusqu'à demain.

Un homme bondit hors d'un hamac qui s'était mis à balancer ; il s'écria, incrédule :

— Comment ? Vous êtes Française ?

Christine se mordit la lèvre afin de ne pas crier de joie. Incapable de répondre, elle voulut tendre les mains à l'étranger, mais la courbature dont elle souffrait, lui arracha un gémissement.

— Je vois, dit l'homme d'une voix brève, un peu enrouée ; il lui tâta le pouls et poursuivit : Pas de fièvre mais une forte courbature. Le repos suffira à vous remettre sur pied.

— Mon père... monsieur... je vous en conjure, dites-moi ?

— Il dort tranquillement. Mais, je vous croyais sa femme ?

— Sa...? Ooooh ! Oh non ! Il... paraît... très jeune, n'est-ce pas ? Et moi, dame ! sûrement... très vieillie ! J'ai l'impression que les moustiques ont mis mon visage en...

— Bon ! trancha-t-il. Quand la coquetterie prend le dessus, c'est que tout va bien. Je vais soigner vos mains.

— Mes mains ? s'étonna Christine qui n'osait plus bouger. Qu'est-ce qu'elles ont, mes mains ?

— Vous l'ignorez ? Des ampoules. Et à vifs. Timbo ?

— Timbo ? répéta-t-elle se croyant plus que jamais en proie à un rêve.

— Apporte-moi de l'eau mélangée de cana, Timbo !

— Oui, monsieur Pa...

— Stevenson !!! coupa-t-il avec violence ; et s'adressant à Christine : Je m'appelle Stevenson. Timbo est mon boy. Un Noir d'Afrique.

— Comment ? D'Afrique ? Ici au Brésil ?

— Authentique. C'est un fidèle. Un ami.

L'inconnu s'exprimait par phrases brèves, sa voix était nette.

Christine reprit, un peu hésitante :

— En Angleterre et en Amérique tout le monde s'appelle Stevenson comme en France tout le monde s'appelle Dupont. A vous entendre, je vous croyais vraiment Français ?

— Je suis un peu tout à la fois, fit-il désinvolte. Et vous ?

— Papa se nomme Raymond Talman. Moi, c'est Christine. Je suis née à Neuilly ; mes parents m'ont emmenée au Brésil à l'âge de deux ans.

— Et que faites-vous ICI ? demanda-t-il en la regardant sévèrement dans les yeux.

— Nous rentrions chez nous, fit-elle naïvement.

— Vous...?

Il se tut, affichant une moue perplexe en faisant craquer toutes les jointures de ses doigts à la fois. Passant les mains dans ses cheveux hirsutes, il pirouetta et lui fit de nouveau face, le poings dans les poches.

— Vous rentriez chez vous, hein ? éclata-t-il. Comme ça ! Tout simplement ! Et, comment comptiez-vous rentrer chez vous je vous prie ?

Christine rougit de dépit. Evidemment elle s'était mal exprimée.

— Dites-moi ce que VOUS faites dans ces forêts ? reprit-il étouffant la violence de son ton, peut-être afin de ne pas éveiller le malade.

— Nous sommes éleveurs et agriculteurs. Nos troupeaux sont morts des affections charbonnières. Papa désirait chasser pour pouvoir racheter des bœufs.

— Mais VOUS ? VOUS ?

— Eh bien, fit-elle avec une candeur déconcertante, je l'ai accompagné.

— Quoi ? Une femme ? Chasser ici ? Mais... vous êtes folle !

— Dites donc ! fit Christine piquée. Vous ne pouvez pas être poli, non ?

— Poli, hein ? Poli envers les dames qui s'en vont se balader dans le Seringal comme on se balade au Bois de Boulogne à Neuilly ! Non, c'est inimaginable !

La lèvre de Christine se mit à trembler ; elle était prête à pleurer.

— Mmmmm, grogna-t-il, je m'excuse ; je suis une brute ! Mais quand je constate pareille phénoménalité je ne peux pas ne pas bouillir ! Vous rendez-vous compte que vous avez peut-être bénéficié d'une seule chance sur cent mille que ce soient des êtres humains qui vous aient découverts en ces lieux et dans l'état où vous étiez ?

N'osant le regarder, de peur qu'il ne vît les larmes dans ses yeux, elle bredouilla :

— Monsieur Stevenson... je vous demande pardon de ne vous avoir pas remercié avant tout... Sans vous... papa et moi...

— Trêve de blablablas ! coupa-t-il. Tout ce que je vous demande, c'est un peu de jugeote. Mais... bah ! à quoi bon ? Je causerai avec votre père ! Quel âge avez-vous ?

— Heu... vingt ans.

— Tiens, tiens !

— Je... j'ai peur... d'en paraître quarante, dit-elle de plus en plus gênée. Ces moustiques...

— Ne vous inquiétez donc pas de ces moustiques ! fit-il d'une note adoucie. Ici ça n'a aucune espèce d'importance. Dans quelques heures ce sera oublié.

— Voici de l'eau pour madame, annonça le Noir en suspendant un brillant récipient à une branche. Et ici les pansements.

— Merci, mon vieux Timbo, fit Stevenson goguenard. Mais ce n'est pas *madame* vois-tu, c'est *mademoiselle* : mademoiselle Christine Talman, âgée de vingt ans.

Le boy roula des yeux ronds allant de Christine vers Stevenson, dont le sombre regard sous le front plissé semblait lui crier : *« tu sais ce que tu as à faire et à laisser »*.

— Oui, monsieur... mm'Steven'son, oui, admit Timbo les traits soudain assombris. Puis-je aider à soigner les mains de mademoiselle ?

— Hum... non, Timbo ! Recharge le feu et va dormir. Je prends le reste de la nuit.

— Monsieur... mm'Steven'son n'a pas encore dormi deux heures, objecta le boy. Tu seras très fatigué demain.

— Nous prendrons quelques jours de repos, mon vieux, pour soigner nos malades ; soigner des malades est un passe-temps comme un autre. Va te reposer.

— Oui, monsieur, oui.

— Merci, Timbo, dit timidement Christine. Et bonne nuit.

— Oui, mademoiselle Christine, oui ! rit le boy très affable.

— Restez tranquille, conseilla Stevenson. Je soulèverai vos mains. Inutile de vous faire mal.

Il lava une à une, avec délicatesse, les paumes souillées et ensanglantées dont la peau arrachée et les plaques de chair nue étonnaient Christine. Fallut-il qu'elle fut brisée pour n'avoir pas senti l'état pitoyable de ses mains ! Tandis que son compagnon, les sourcils en accent circonflexe et tout voué à sa tâche, la soignait, elle considérait le profit énergique à la lueur de la flamme. Etant couchée et lui-même debout, elle ne put juger sa taille, mais elle le devina grand. Il était suprêmement noir; sa prestance faisait de lui un modèle d'homme qui n'avait pas besoin de retouche... n'étaient-ce une horrible barbe, sombre et déteinte, la face boucanée et les cheveux emmêlés qui le dépareillaient, lui donnant l'aspect d'un véritable homme des bois. Quant à sa voix cassante, elle s'harmonisait si bien avec son visage, qu'on ne pouvait la concevoir autre. Pourtant, en dépit de son allure dégingandée, sa rude tenue de brousse, sa barbe, son regard noir, ses armes et les balles qui garnissaient en rangs serrés son torse, il gardait une certaine distinction... quelque chose d'indéfinissable qui, d'instinct, poussait à la confiance. Tel quel, on ne pouvait lui donner d'âge.

— Cela ne fait pas mal ? s'enquit-il sans lever les yeux.

— Heu... non.

— Vous hésitez ?

— Pardon. J'étais distraite. Mais, pourquoi cela ne fait-il pas mal ?

— C'est à y perdre son latin, maugréa-t-il. Peut-être en avez-vous croqué de plus durs ces jours-ci. Comment est-ce arrivé.

Par bribes, confusément, elle parlait :

— Je portais la tente, tantôt sur le dos, tantôt à la main. Je tranchais des branches, je cassais du bois... Tout cela me paraît un affreux cauchemar dont je ne parviens pas à m'éveiller. Je ne puis réaliser que je suis encore en vie ! Je me suis sentie littéralement empoignée par la mort !

— Mais par quelle aberration êtes-vous ici ?

— J'ai perdu ma mère l'année dernière. Quand, après la perte de nos bœufs, mon père parlait de venir chasser, je... j'ai jugé de mon devoir de l'accompagner ; j'ai quitté le Mas à son insu et l'ai rejoint.

— Le Mas ?

— C'est notre maison appelée ainsi en souvenir de notre maison en Camargue où est né papa et où habite toujours sa sœur, tante Lise.

— Et c'est vous qui avez exigé que votre père vous emmenât à la chasse ?

Abasourdie, Christine ne put lâcher qu'un seul mot... mais qui en disait long :

— Voilà !!!

— Chuuut ! souffla-t-il en levant un œil curieux vers elle. N'éveillez pas votre père. Et alors ?

— C'est tout !

— C'est ça ! fit-il drôlement. Prenez le temps de réfléchir à la manière dont vous allez pouvoir me débiter votre histoire sans vous couvrir de torts.

Saisie, Christine ne put tout de suite répondre. Il en profita pour lui conseiller sur un ton amical nuancé d'ironie :

— Ne bougez pas ! N'oubliez pas qu'il vous faut du repos.

— Aaaah ! soupira-t-elle, pleine d'une absurde confusion. Pardonnez-moi, je n'ai pas besoin de réfléchir, je suis seule coupable. Non pas d'avoir mis papa en demeure de m'emmener, mais de lui avoir demandé d'engager un vaquero que nous ne connaissions pas suffisamment. Nous savions qu'il buvait, mais nous ignorions qu'il était voleur et fourbe. Tout s'est bien passé jusqu'au moment où notre barque était chargée de peaux et de fourrures et que nous songions au retour. Puis, une nuit, il s'est enfui, emportant tout ce que nous possédions. Il ne nous restait que les armes que nous portions sur nous, un peu de munitions et nos machettes... et trois cachets de quinine. Papa a chargé la tente, moi la bâche et nous nous sommes mis en route. Dès le douzième jour papa a pris la fièvre et...

— Et c'est vous qui avez avalé la quinine !

Christine écarquilla des yeux... elle dit doucement :

— Non, papa en avait besoin plus que moi. Nous avons vécu comme nous avons pu pendant quatre semaines ; hier, son état s'est brusquement aggravé. Il voulait atteindre la clairière près de laquelle vous nous avez trouvés. Quand il s'est effondré, j'ai... dressé la tente au-dessus de lui... c'est tout.

— Et... comment vous êtes-vous nourris pendant ces quatre semaines ?

— De gibier. De fruits. De poissons.

— Comment ! Pendant quatre semaines vous avez abattu du gibier avec vos quelques balles et en même temps vous vous êtes débarrassés des fauves ? Et votre père était malade ?

Christine se sentit étrangement mise sur la sellette et se demandait ce que cherchait à savoir son compagnon en la questionnant de la sorte. Elle répondit d'une voix lasse :

— Oui, il était malade. Il m'avait appris à tuer le petit gibier à la machette afin d'épargner nos munitions.

— Tuer le petit gibier à la machette ? Tonnerre ! Pourquoi pas les fauves tant que vous y êtes ?

C'en fut trop pour Christine. Elle souffla véhémente :

— Vous êtes un rustre ! J'ignore où vous nous avez transportés, mais si nous ne sommes pas trop éloignés de l'endroit où vous nous avez découverts, je vous jure que j'irai vous chercher la peau du jaguar dont j'ai tranché la gorge et celle de la panthère noire qui a reçu mes deux dernières balles dans le crâne !

— Que ne le disiez-vous ! Maintenant tout s'explique ! C'est donc vous que nous avons entendu tirer deux coups !

— Vous avez entendu...? Alors vous devriez « savoir depuis longtemps » que c'est *nous* qui avons lâché ces deux coups !

— Fichtre ! Pourquoi croyez-vous que nous vous ayons couchés dans des hamacs ? Ça grouille de fourmis par ici. En admettant qu'ils aient existé, vous ne retrouverez *rien* de vos fauves !

— Tant pis ! Et ça m'est égal que vous me croyiez ou non !

A la lueur du feu, Christine crut voir sourire Stevenson...

Elle essaya de songer aux jours qui allaient suivre ; mais, trop lasse, elle chassa ses soucis. Bientôt son père pourrait décider et essayer de s'entendre avec ce terrible homme des bois.

Elle considéra sa main, la deuxième que, plein de douceur, il était en train de panser sans qu'elle ressentît la moindre douleur.

— Ne me jetez pas de fleurs ! objecta-t-il, devinant ses pensées. Dans ce pays les chasseurs doivent être *cura* ; peut-être savez-vous que *cura* veut dire : *médecin*. Et le cura doit être sorcier. C'est la loi dans les tribus indiennes qui nous entourent et desquelles nous faisons partie en quelque sorte à l'heure actuelle.

Elle s'abstint de répondre, craignant une nouvelle phrase ironique. Il ne l'épargna pas pour autant :

— Dites-donc, ne vous est-il pas venu à l'esprit de garder ces deux dernières balles pour vous ?

— Pour... moi ?

— Et pour votre père, oui ?

— Mon père ? J'avoue que je ne comprends pas ?

— Mais si ! fit-il en appuyant son index à la manière d'un canon de pistolet sur sa tempe. Clac !!! C'eût été plus expéditif, non ?

— Co... comment osez-vous ? Vous... vous... vous...

— Hé hé ! doucement ! N'avalez pas votre langue !

Elle avala sa salive. Oubliant sa douleur, elle étala du bout de ses doigts demeurés libres et d'un geste rageur sa médaille de scapulaire sur son corsage en sifflant entre les dents :

— Voi-là-pour-quoi ! Je-crois-en-Dieu ! Je n'ai jamais perdu confiance ! Sauf... peut-être à la toute dernière seconde. Mais, quoi que vous en pensiez, j'étais déjà résignée à la mort! Toujours est-il que mes prières n'ont pas été vaines, puisque VOUS êtes venu ! Je crois aussi, si Dieu a cru devoir se servir d'un... type de votre espèce pour nous secourir, c'est qu'Il n'en avait pas d'autre sous la main !

Il émit un rire bas, étouffé, en claquant de la langue :

— Voilà enfin une tirade qui prouve que vous êtes capable de raisonner. Eh bien, mademoiselle Talman, avant de vous quitter afin de vous permettre de ruminer votre inconscience, je vais tout de même vous restituer votre bien ; ça calmera vos nerfs et vous permettra de dormir, même si vous ne pouvez vous en servir avec ces mains momifiées. Il vous reste quatre bonnes heures avant qu'il fasse jour ; tâchez d'en profiter sans vous croire obligée de veiller. Je m'en charge. Et, tenez, buvez ça d'abord.

Il avait déposé un objet assez lourd à ses côtés et, lui soulevant la tête, porta un gobelet à ses lèvres. Elle devina du vin auquel était additionné un soporifique. Ne lui permettant plus de placer un mot, il tira la moustiquaire et s'en fut.

Stevenson lui avait rendu son revolver !!! Son revolver vide qu'il avait découvert sur le corps de la panthère ! Il savait donc parfaitement qu'elle avait tué la panthère ! Il avait suivi leurs traces ; il devait avoir vu le petit feu de bois de pin et découvert la tente sous laquelle s'étaient écroulés les deux misérables errants, livrés aux crocs du premier fauve venu...

Il savait qu'elle avait tué la panthère... Pourquoi cette comédie ? Pourquoi s'était-il fâché ? Fâché ?

Christine sourit. Elle comprit qu'il avait simplement voulu la distraire de ses douleurs et de ses sombres pensées.

A travers la moustiquaire, elle le vit alimenter le feu et prendre un gobelet et un flacon. Elle reconnut le glou-glou du liquide dont le bruit l'avait éveillée. Il s'approcha d'un hamac, glissa un bras sous l'épaule d'un homme, le souleva délicatement... Christine faillit jeter un cri en reconnaissant son père, son père inconscient ! Stevenson s'efforça patiemment à lui faire avaler quelques gorgées ; il lui rafraîchit le visage, le cou, les bras et les mains d'un linge sur lequel il avait pressé un limas ; il tâta son pouls, puis, à l'aide d'un stéthoscope tiré de sa poche, il l'ausculta. Le chasseur-cura-sorcier semblait parfaitement s'y connaître et être bien équipé ! Il prit une torche électrique à proximité, disparut dans une tente sous l'auvent de laquelle brûlait une lampe et revint presque aussitôt, tenant une seringue à la main. Après avoir fait une piqûre à Talman, il contourna le foyer, y alluma une torche dont il balaya un entablement rocheux autour duquel il soupoudra une matière blanche. Christine avait perçu le grésillement des fourmis sous la flamme. Il s'installa au centre de l'endroit nettoyé, désinfecta la seringue qu'il enferma dans une boîte et, tirant une pipe, il se mit à l'allumer.

Au loin des grondements et des cris éveillaient la forêt. Tout proche, Timbo ronflait. Au-dessus du campement bruissaient doucement les feuilles métalliques des palmiers. Peu à peu la fumée bleuissait, formant une nappe de brouillard à hauteur de la lampe.

L'esprit légèrement engourdi, Christine revécut les dernières heures avant que Stevenson et Timbo les eussent recueillis. Elle ne se demandait pas en quel endroit de la forêt ils les avaient emportés. Elle n'avait pas osé parler du jaguarundi... elle avait peur d'y songer. Pauvre Rundy ! Nous et toi, nous sommes si peu de chose comparés aux terres immenses, à ce monde qui n'est lui-même qu'un grain de poussière évoluant dans l'espace. Se sentant saisie de vertige à l'idée de scruter les profondeurs des abîmes intersidéraux, Christine ramena ses pensées vers le coin de la terre où avec son père, elle reposait à l'abri d'une flamme veillée par un étranger, un homme à qui elle avait, en quelques phrases, dévoilé toute sa vie, tandis qu'elle ignorait tout de lui, sinon un nom : « Stevenson ». Un nom comme il en est par milliers sur la terre...

Pourquoi avait-il si brusquement interrompu le boy quand celui-ci s'adressait à « monsieur Pa... » ?

... Non, Stevenson n'est pas son *vrai nom*... cet homme doit être un aventurier... Etrange aventurier qui sait n'avoir rien à espérer de nous... dont la générosité... nous a sauvés d'une mort effroyable...

Merci, mon Dieu... merci, de nous l'avoir envoyé...

CHAPITRE XII

Vers huit heures du matin une volée de coups de feu, éclatant à proximité, avait éveillé Christine, mais elle s'était rendormie aussitôt. Il était midi à présent. Une confuse gaieté animait les braises sur lesquelles grillaient des volailles. Timbo, chantant une mélopée sur trois notes, les arrosait de temps à autre du contenu d'un petit récipient dont pas une goutte ne se perdait dans le foyer.

Lorsque le soleil éclata au zénith, un nuage d'étourneaux se mit à piailler au-dessus de la clairière. De grands arbres, festonnés de fleurs, se pressaient au bord de la rivière qui glissait silencieusement dans son lit. Le campement, dressé sur une langue de terre ocrée, hérissée de quelques rochers, s'avançait au milieu de l'eau. Au delà du feu, où la forêt s'épaississait, le cours d'eau étranglait la terre, fabriquant une petite presqu'île aisément défendable. L'endroit pour camper avait été judicieusement choisi. Christine écarta elle-même la moustiquaire qui ne lui sembla d'aucune utilité ici.

— Bonjour, Timbo !

— Ow... ooow... oooow...

En la considérant, le Noir roulait d'énormes yeux effarés. Les huit doigts sur le menton et les coudes écartés il s'écria :

— Non ! Tu n'es plus toi, mademoiselle Christine ! Monsieur... mm « Steven'son » m'a dit de le chercher quand tu t'éveillerais. Mais il ne te reconnaîtra plus, car tu n'es plus toi !

— Ah çà alors ? Qu'est-ce que ?...

— Que t'arrive-t-il, boy ? s'écria la voix de Stevenson de l'intérieur de la tente. As-tu avalé une machine à paroles ?

— Mademoiselle Christine est éveillée, monsieur, mais ce n'est plus elle. Je ne la reconnais plus et tu ne la reconnaîtras plus car je dis que ce n'est plus elle !

Stevenson s'approcha à grandes enjambées de Christine qui attendait, bouche bée.

— Ha ! fit-il. Très intéressant ! Examinons un peu ça... mmm, l'œil gauche a glissé un peu vers la tempe... La paupière droite est plus enflée qu'hier. Le nez est plus... voyons, comment dire ? En France on appelerait çà : *une tomate*. La lèvre supérieure est...

— Assez ! s'exclama Christine pleine de rage en cachant son visage dans ses bras. Allez-vous-en ! Allez-vous-en !

— Permettez-moi de vous dire, chère enfant, que ce visage-là doit être soigné si vous voulez le voir retrouver des proportions normales un jour. Ayant quelques notions de médecine, j'estime de mon devoir de... vous refaire une beauté.

— Vous... vous êtes... vous êtes...

— Votre très humble serviteur, acheva-t-il en s'inclinant, très régence.

Le boy, qui n'y comprenait rien, était debout, les doigts toujours sur la lèvre, à les considérer de son air le plus ahuri.

— Ne laisse pas dessécher nos oiseaux, hein, bonhomme, lui dit Stevenson, Mademoiselle Christine à faim.

— Si, missié. Si... s... i...

— Allons, reprit Stevenson. Ne faites pas tant d'histoires pour une piqûre de moustique !

— ... une...

— Ou mille ! Qu'importe ! Ce qui importe c'est d'arranger ça au plus tôt. Mais, pourquoi ne vous êtes-vous pas frottée au jus de citron. Vous avez pourtant les bouts des doigts libres ?

— Citron ? Mais... je n'ai pas de citron !

— Qu'avez-vous fait de ce demi-citron que je vous ai donné cette nuit ?

— A moi ?

— Bien sûr !

— Vous avez rêvé. Vous ne m'avez pas donné de citron !

— Misère de misère !

— Où est-il ?

— Qui ?

— Eh bien, le demi-citron ?

— Ha oui ! Je n'en sais rien. Vous l'avez mangé ?

— Mangé ? C'est idiot ! Pourquoi ne l'avoir pas dit ?

— Dit ? Mais ça se sent à dix mètres à la ronde ! Vous êtes sûrement couchée dessus. Soulevez-vous.

Christine se dressa sur ses bras, mais elle retomba avec une grimace en étouffant un cri de douleur.

— Et voilà ! fit-il. En conséquence : repos complet au moins encore durant deux jours ; ensuite nous verrons. Et ne cherchez pas ce bout de citron. Je vous ai fabriqué une crème de beauté à ma façon à laquelle votre peau délicate sera aussi sensible qu'aux piqûres des polvos ; votre visage sera retapé avant que vous soyez en état de vous lever. Dommage que je n'aie pas de miroir ; vous auriez pu suivre de près les bienfaits de ma crème magique. Maintenant, j'ai encore ceci à vous dire : vous avez sûrement de la fièvre ; voulez-vous me donner votre main ?

— Non ! riposta-t-elle vertement en le foudroyant du regard. Pourquoi aurais-je de la fièvre maintenant, alors que je n'en ai jamais eue ?

— Je ne parle pas des fièvres paludéennes mais de celles provoquées par votre courbature. Donnez-moi votre main.

— C'est idiot ! Je...

— Espèce de satanée gamine ! Ici ! Cette main !

N'osant plus bouger de crainte d'être reprise par cette douleur lancinante, elle la lui abandonna en soupirant.

— Je m'y attendais ! grogna-t-il.

— A quoi ? souffla-t-elle inquiète.

— Votre température est aussi violente que votre tempérament. Connaissez-vous la différence entre ces deux mots si ressemblants ?

— Vous êtes un démon !

— Pardon ?

— Rien ! Combien de température ?

— Comment voulez-vous que je le sache ? Ne croyant pas rencontrer une femme dans ces forêts je n'ai pas cru devoir apporter un thermomètre. Où avez-vous mal quand vous bougez ?

— Eh bien... partout. C'est bizarre. Mais...

— Alors, ne bougez pas, même pas votre bras ni vos mains. Je vous nourrirai au biberon.

— Quoi ?!

— Mais vous alliez ajouter quelque chose ?

— Je ne bougerai pas, dit-elle en secouant la tête avec un lourd soupir.

— Mais si ! Il y a quelque chose ! Allons, dites-moi où vous souffrez particulièrement ?

— C'est ridicule ! bougonna-t-elle. Ce n'est sûrement qu'un bleu occasionné par les courroies de la tente, surtout sur mon épaule gauche.

Avant qu'elle s'en rendît compte, il avait écarté la blouse en lambeaux et, bannissant toute ironie de son visage, il dit, comme à regret :

— Je suis docteur en médecine.

Abasourdie par cette révélation inattendue qu'il avait cru devoir taire jusqu'ici, Christine le dévisagea, puis tourna son regard vers son épaule. La peau arrachée étalait une plaie sanguinolente de la grandeur d'une paume ; autour des bords suppurants s'étendait un cercle pourpre, enflé et luisant.

— Pourquoi ne m'en avez-vous pas parlé cette nuit ? reprocha-t-il doucement.

— Bah ! Ça ne faisait pas plus mal que le reste.

— C'est de cette infection que provient votre fièvre.

— Infection ? sursauta-t-elle.

— Ma parole ! railla-t-il à nouveau. Vous avez peur d'un bobo un peu infecté ?

Il glissa délicatement le tissu afin d'examiner l'autre épaule.

— Timbo ?

— Oui monsieur, oui ! répondit une voix lointaine.

— Mais, qu'est-ce que tu fabriques encore une fois là-bas ?

— Moi, monsieur ? demanda le boy en accourant avec un visage des plus innocent. Moi je ne fabrique rien, monsieur, rien.

— Grouille-toi, boy ! Il me faut de l'eau bouillie, du chlore, de l'alcool, de l'ouate, du sparadrap et ma boîte d'instruments.

— Oui, monsieur, oui, dit Timbo en s'éloignant vivement

— Ce garçon est un être exceptionnel ! fit Stevenson en claquant de la langue. Il est à la fois chasseur, cavalier, peaussier, tailleur, rameur, infirmier, cuisinier, maître d'hôtel, valet de chambre...

— « VOTRE » valet de chambre ? coupa Christine, craignant pouffer de rire en voyant, en image, cet homme de la brousse se faire border dans son lit.

— Qu'est-ce qui vous arrive ? fit Stevenson avec une feinte colère, qui n'en impressionna pas moins la jeune fille et lui fit rentrer le rire dans la gorge.

— Bon sang, murmura-t-elle. Ce que vous pouvez être...

— Ours ?

— C'est vous qui le dites !

— Ha ! Je suis sûr que vous n'en avez pas encore rencontré jusqu'ici. Vous savez, ils sont parfois drôles ! Daignez apprécier à sa juste valeur votre chance d'être tombée entre les pattes d'un animal plus ou moins pacifique !

Christine n'osa pas répondre. Il désinfecta une pince, des ciseaux et quelques autres instruments qu'elle n'avait jamais vus et frotta ses mains d'un linge imbibé d'alcool ; il l'humecta à nouveau et le passant au boy qui, après s'être désinfecté les mains à son tour, soutint la boîte et passa un à un les instruments au docteur. Il était clair qu'ils avaient l'habitude de travailler ensemble.

Stevenson n'arrêta pas de parler. Son ton rude et goguenard à la fois distrayait Christine de son mal, tandis que les mains la soignaient avec une délicatesse étonnante de la part de pareil homme. Elle se demandait qui il était ; il racontait si peu de lui-même qu'elle en était réduite aux conjectures.

— Voilà, dit-il en posant les ciseaux dans la boîte. Demain nous referons le pansement. Mais je me suis trompé : votre fièvre est insignifiante. Et maintenant, à quoi passons-nous : au repas ou au traitement de beauté ?

Christine rougit ; mais le regard d'envie qu'elle jeta du côté des volailles n'était pas perdu pour Stevenson. Elle osa murmurer :

— J'ai faim.

— Voilà une malade bien portante ! Mieux vaut cependant vous nourrir d'aliments légers aujourd'hui. Si vous les aimez, je propose comme plat consistant : du porridge, et comme dessert : des toasts au miel sauvage. Qu'en pensez-vous ?

— Du... ? Des... ?

Sa langue semblait s'être emberlificotée dans l'eau qui lui était venue à la bouche et qu'elle avala durement.

— Faut-il croire que ça vous plaît ? rit Stevenson.

— Oui ! Oh oui ! Et papa ?

— Ha ha ? s'exclama-t-il. On se souvient donc encore, enfin, qu'on a un père !

— Quoi ? protesta-t-elle outrée. Je... bah ! pas la peine d'essayer de vous expliquer. Voulez-vous je vous prie me dire comment va mon père ?

— Très bien. Il dort.

Christine leva un œil étonné :

— Pourquoi dort-il toujours ? Est-ce normal ?

— C'est voulu. N'oubliez pas, en dépit de sa fièvre, il s'est traîné aussi loin que vous ; sa courbature en est doublement douloureuse. Pourquoi laisser souffrir un homme quand il suffit de le faire dormir pour le soulager ? Il guérira en dormant.

— Merci... docteur, balbutia Christine bouleversée. Tantôt.. j'ai voulu vous expliquer que je n'étais pas inquiète au sujet de papa ; je le sais en bonnes mains... je vous ai vu le soigner cette nuit, encore merci ! mais, ne doit-il pas se nourrir ?

— Il boit du lait auquel sont mélangés les médicaments et vitamines nécessaires. Le lait est un aliment complet pour l'humain.

— Je... j'ai bien peur que papa et moi abusions de votre générosité et vous privions, docteur. Nous...

— Dites donc, quelles absurdités allez-vous encore me servir ? Et, avez-vous l'intention de m'appeler : *docteur* à présent ?

— Si vous le permettez, oui. C'est plus facile et moins banal que : *monsieur Stevenson.*

— Vous semblez apprécier la fa-ci-li-té, mademoiselle Talman !

— Faut croire ! mordit-elle. Puisque je me fais servir au lit et nourrir au biberon !

Elle détourna la tête en avalant un sanglot.

— Décidément, vous y tenez à raconter des calembredaines ! Eh bien, tant que vous y êtes, allez-y, lâchez tout ce que vous avez sur le cœur ; ça vous soulagera, votre appétit reviendra et nous passerons au repas en silence afin de ne plus le couper.

Christine eut un petit rire nerveux. Cet homme était désarmant. Bien qu'elle savait qu'une bonne petite crise de larmes l'eût réellement un peu soulagée, elle s'efforça à faire bonne contenance, et déclara :

— Mon appétit n'est pas coupé !

— Et vous n'appréciez sûrement *pas* la facilité ! Tant mieux ! Ha, merci Timbo !

Le boy déposa une petite table pliante et glissa une couverture, en guise de coussin, sous la tête de Christine, en découvrant ses dents blanches jusqu'aux oreilles dans ses joues rondes et riantes d'enfant heureux. Il revint avec une assiette de métal pleine de gruaux d'avoine, gonflés et fumants, un gobelet de lait bouillant et du beau sucre blanc. Christine arrondit les yeux. Elle n'avait plus mangé ces choses délicieuses depuis tellement longtemps !

— Beaucoup de lait ? demanda Stevenson. Et beaucoup de sucre ?

— Eh bien... encore un peu... merci.

— Moi j'aime mieux le porridge plus mouillé et plus sucré ! déclara-t-il.

— Ben... moi aussi...

— Comment ? Ha, je vous fais peur ? Non! halte ! ne répondez pas ! Ouvrez la bou... che... voi... là ! C'est bon ?

— Mmmmm ! fit-elle avec un large geste affirmatif. Mais... Oh ! qu'avez-vous fait de mes pieds ?

— Rassurez-vous, ils sont toujours là. Ou... vrez ! Je vous ai dit que Timbo est cordonnier, ou... vrez. Il réparera vos bottes cet après-midi, ou... vrez ! Vos pieds étaient un peu abîmés. Ou... vrez ! A vrai dire ils étaient plus sales que blessés. Ou... vrez ! Dans quelques jours tout sera oublié. Ou... vrez...

***

Après avoir enduit le visage et les bras de Christine d'une crème onctueuse, dont elle ressentit aussitôt une bienfaisante fraîcheur, Stevenson la quitta, non sans lui recommander de faire une petite sieste. Il s'assit sur le roc à sa place habituelle pour prendre son repas.

A l'abri de la moustiquaire, Christine songea au demi-citron volatilisé. « Vous êtes sûrement couchée dessus », avait-il dit.

Curieuse, elle se souleva précautionneusement et, en dépit de la douleur, ses bouts de doigts émergeants des pansements, se mirent à tâtonner sous la couverture. Elle ne trouva que le revolver... rechargé ! Le citron n'avait existé que dans l'imagination de Stevenson !

Quel homme impossible ! Il avait inventé cette histoire de toute pièce afin d'obliger la malade à se soulever pour qu'il puisse juger de son état ! En outre, il était médecin. Pour quelle raison en avait-il fait un secret au début ? Et, que faisait ici un médecin en pleine brousse ? Chasser ? Christine n'en était pas très convaincue.

— Monsieur ! Monsieur ! cria le boy affolé. Il est là ! Il est revenu ! Il se cache dans l'arbre !

— Qui ? Quoi ? Où ? clama Stevenson en accourant, le fusil à la main.

— Il est là ! Il est dans l'arbre ! Il est au-dessus de la demoiselle !

— Que se passe-t-il ? s'enquit Christine en ouvrant la moustiquaire.

— Fermez ça ! tonna Stevenson. Et restez tranquille ! C'est un chat sauvage que j'ai déjà chassé quatre fois et qui revient toujours ! Bien que la peau de ces bestioles ne vaille pas une balle, cette fois elle en recevra une ! Et bien placée !

— Non ! hurla Christine en arrachant la moustiquaire. Arrêtez ! Ne tirez pas ! C'est Rundy ! Mon Rundy ! ô Rundy, viens mon Rundy !

— Qu'est-ce que ?...

Souplement, comme s'il avait compris que sa maîtresse était souffrante, le chat sauvage descendit de la branche sur ses pattes de velours et se glissa dans le hamac.

— Rundy, balbutia Christine en le serrant dans ses bras. Tu es venu ! Tu m'a retrouvée ! Tu es là, mon Rundy !

Stevenson contemplait la scène, les poings sur les hanches ; Timbo, les yeux lui sortant presque des orbites, tendait les mains en avant comme pour défendre sa vie.

— Je m'excuse, dit Christine, le regard humide. C'est un jaguarundi.

— Je crois avoir compris, dit Stevenson. Mais, me direz-vous ?

— Il n'avait que quelques mois quand je l'ai trouvé, fit-elle toute joyeuse. Il m'a suivie ! Il est à moi ! Il ne me quittera jamais plus !

— Quoi ! Cette sale bête ici dans le camp ?

— Ce n'est pas une sale bête ! se hérissa Christine. Je le lave ! Je le frotte ! Je le brosse ! Je le peigne !

— Je vois : un toutou de vieille fille à perroquet ! Est-il méchant ? Croyez-vous qu'il me morde ou me griffe si je l'approche ?

— Il serait peut-être prudent de vous abstenir ! D'autant plus que vous l'avez toujours chassé. Il nous a sauvé la vie au moins dix fois !

— Cet espèce de chat raté ? Laissez-moi rire !

— C'est vrai ! fit Christine et elle bourdonna d'une seule haleine : il m'éveillait en me grattant l'épaule quand un danger approchait, il m'a prévenu de la présence du jaguar que j'ai tué à la machette et de l'attaque de la panthère noire qui a reçu mes deux dernières balles !

— Vraiment ? Ha !

— Voilà ! soupira Christine. A quoi bon vous raconter tout ça puisque vous n'y croyez pas ? Heu... entre parenthèses : merci d'avoir cherché mon revolver et de me l'avoir rendu... chargé !

Stevenson partit d'un si formidable éclat de rire, qu'il dut s'en tenir les côtes.

— Ne vous essoufflez pas, fit-il lorsqu'il fut calmé. Commandez plutôt à votre chat de se tenir tranquille.

Sans hésiter, il s'approcha et posa la main sur la tête rousse. Le jaguarundi retroussa les babines, souffla de colère et de peur, puis sous les doigts caressants et les paroles apaisantes de Christine, il coucha les oreilles et se mit à balancer la queue. Stevenson reprit :

— Dis donc, Rundy, nous voici amis, non ? Eh bien, c'est moins simple avec ta maîtresse, mon vieux ! Elle griffe et mord comme une vraie bête féroce !

— Moi ? s'écria Christine stupéfaite. Vous osez prétendre que...

Elle en avait le souffle coupé. Avant qu'elle le retrouvât, Stevenson était loin.

CHAPITRE XIII

Le matin du sixième jour, Christine fut éveillée par la voix inquiète de son père qui répétait faiblement son nom... tellement faiblement que Timbo qui cassait du bois non loin de là et Stevenson, qui dormait dans le hamac du côté de la forêt, ne pouvaient l'entendre. Rundy, couché sur une bâche au milieu d'un cercle de poudre qui tenait les fourmis à distance, se dressa sur ses pattes arrière afin de prévenir sa maîtresse.

Christine s'assit, frotta ses yeux de ses doigts libérés, palpa ses bras, ses jambes et s'essaya vivement à quelques exercices d'assouplissement dont le résultat lui parut satisfaisant.

— Ça ira, mon petit Rundy ! souffla-t-elle avec une petite tape amicale sur sa tête. Je suis guérie ! Youpy !

Elle sauta hors du hamac tout heureuse de se retrouver sur ses pieds. Elle enfila ses bottes — tant bien que mal remises en état par le Noir — suspendues à la branche et fit quelques pas chancelants, s'amusant de sa maladresse. Lorsque le boy l'aperçut, elle marchait déjà à peu près normalement. Timbo, ahuri de la voir gesticuler hors du hamac, s'apprêta à éveiller son maître. Mais, lui faisant son plus beau sourire, Christine mit un doigt sur ses lèvres lui intimant de se taire et elle courut vers son père.

— Papa ! ô papa, enfin !

— Chris... ma Chris... ma chérie... que nous est-il arrivé ? Où sommes-nous ?

— Ne t'inquiète pas, papa, dit-elle en l'embrassant. Ne t'inquiète plus de rien ! Un homme nous a découverts et sauvés avec son boy, oui, un authentique Noir d'Afrique ! et cet homme est médecin, papa ! Il nous a merveilleusement soignés ! Dis-moi avant tout comment tu te sens ?

— Etrangement paresseux... mais bien, ma foi, très bien !

— Ce n'est pas drôle, tu sais ! Ce type t'a fait avaler des drogues et fait des piqûres pour t'endormir : « *afin que tu guérisses en dormant et sans souffrir* », prétendait-il !

— Qui est-il ? D'où est-il ?

— Tu me croiras ou non : je n'en sais rien ! Il prétend s'appeler : *Stevenson*. Mais je doute que ce soit là son vrai nom et, entre nous, il n'a pas de prénom !

— Quelle est cette histoire rocambolesque ? Et il se dit médecin ?

— Ça oui ! Ce doit être exact. Mais il est encore bien autre chose, tu sais : chasseur, peaussier, homme des bois, aventurier, etc... etc...

— Eh bien, Chris, rit Talman, ça fait plaisir de te retrouver en si bonne forme ! Mais lui, de quelle nationalité est-il ?

— Un peu tout à la fois, qu'il a dit. Il garde sur tout ce qui le touche personnellement une réserve infranchissable. C'est un être bizarre. Il est parfois terriblement arrogant, mais son regard, jamais hardi ni insolent, dément sa morgue ; il semble plutôt s'amuser en me taquinant et son attitude envers nous fait preuve d'une générosité à outrance ! Il a établi le campement dans un lieu de tout repos et ne tue que le gibier pour les repas en refusant de nous quitter tant que tu ne sois complètement guéri.

— Généreux, en effet ! Quel âge a-t-il ?

— Quel âge ? Ça par exemple, je n'ai jamais songé à me le demander. Et avec cette horrible barbe ! Grrrrr ! Quel ours ! Du reste, il se qualifie d'*ours* lui-même.

Le hamac de Talman secouait de son rire. Il reprit :

— La barbe, ma Chris, ne fait pas l'homme, pas plus que l'habit ne fait le moine. Tu ne sembles pas beaucoup apprécier notre sauveur, qui, pour autant que j'aie pu en juger jusqu'ici, semble pratiquer, dans le vrai sens des mots : *la charité chrétienne*. Dis donc, as-tu déjà regardé « ma » barbe ? Est-ce une raison pour que je sois *ours* ?

— Oh non, évidemment, mais lui, c'est différent. On ne

parvient pas à deviner ce qu'il cache. Tout ce que je sais, c'est qu'il parle le portugais, l'anglais et le français comme nous. Quand il m'arrive d'oser lui poser une question, il me raille ou me donne une réponse qui me laisse bouche bée, ou feint la colère, puis s'en va en riant. Va-t'en comprendre pareil phénomène ! Et, le crois-tu ? Ce prétentieux s'imagine que j'ai du jus de rutabaga dans les veines !

— Allons, allons ! je ne puis croire que ce Bon Samaritain soit un prétentieux !

— Lui, un Bon Samaritain ? Attends de le juger que tu aies fait sa connaissance ! Tu seras édifié ! Oh, chut ! le voilà !

— Eh bien, eh bien ! cria Stevenson en s'éloignant du côté de l'eau, ne semblant pas le moins du monde étonné de voir Christine debout. Vous m'épatez ! Je ne vous savais pas si matinale.

— Papa m'appelait, répondit-elle simplement.

— Vous permettez ? fit-il. Le temps de me rafraîchir et je suis à vous.

— Tu l'as vu ? souffla nerveusement Christine. Tu l'as entendu ? Voilà sa façon de dire bonjour aux gens !

— Tout ce que j'aie pu voir, c'est qu'il est costaud. Somme toute, je ne me l'imaginais pas autre ; un gringalet n'a que faire ici.

Stevenson revint après dix minutes, vêtu de frais et les cheveux et la barbe encore mouillés, en ajustant sa bandoulière autour de son torse.

— Stevenson, se présenta-t-il en saluant cordialement Talman.

Les hommes se serrèrent la main en se dévisageant longuement. Eberluée, Christine comprit que ces premières secondes avaient suffi pour faire naître entre eux une entente amicale. La voix de Talman tremblait un peu :

— Ma fille m'a dit ce que vous avez fait pour nous, monsieur Ste...

— Arrêtez ! trancha-t-il en appuyant le mot d'un geste sec de la main. Vous auriez agi de même si les rôles avaient été renversés.

— Rencontrer un Français ici, me paraît miracu...

Ce fut Christine qui interrompit cette fois son père, de son petit air moqueur :

— Monsieur Stevenson n'est pas Français, papa ! Je t'ai dit qu'il est un peu tout à la fois !

— Dites donc, clama ce dernier. Qui vous a permis de vous lever ? Allez au lit ! Et en vitesse !

— Je suis guérie ! protesta-t-elle hardiment. Je reste chez papa ; je peux le soigner moi-même à présent.

— De quels soins parlez-vous ? railla-t-il. Votre père est parfaitement capable de manger et de boire seul. Encore quelques jours de repos et je vous ramène chez vous, monsieur Talman.

— Dois-je comprendre, dit Talman, que vous nous avez soignés durant plusieurs jours ?

— Sept ! jeta Christine.

— Tiens, fit Stevenson en comptant drôlement sur ses doigts. Exactement. Et se tournant vers Christine : Avouez qu'il est à peu près temps que je cesse de vous couver comme un poussin fraîchement sorti de l'œuf !

Perplexe, Christine aplatit son bout de nez. Naturellement, après ça, elle était incapable de répondre.

— Je dois reconnaître, poursuivit Stevenson en taquinant sa barbe, maintenant que je vous vois debout, que vous ressemblez tout de même à une femme. Quant à ce visage... ha, je le savais ! J'ai toujours su qu'il se cachait quelque chose de mieux sous ce masque dans lequel j'avais d'abord cru voir un ballon de football à moitié dégonflé. Mais vous, monsieur Talman, pouvez-vous me dire ce que fait ici cette jeune personne en plein Seringal ? Je n'ai jamais compris ses explications assez embrouillées à ce sujet.

Christine baissa la tête ; en ces sept jours elle avait appris à calculer ses silences. Mais qu'allait-elle encore devoir entendre ?

Son père eut un rire bref avant de répondre gravement :

— Je ne crois plus devoir vous apprendre le motif qui m'a engagé à emmener ma fille ; elle s'en est sûrement chargée.

— Mademoiselle Talman n'est pas très loquace, affirma Stevenson en passant un doigt sous son nez.

— Dans ce cas nous en reparlerons, sourit Talman. Ce que je tiens à vous dire tout de suite, c'est que personnellement, je n'ai pas eu à regretter sa présence et de cela aussi nous reparlerons.

L'approche de Timbo coupa court à la situation assez embarrassante pour Christine.

— Puis-je préparer le petit déjeuner, monsieur, oui ? Et le monsieur malade peut-il déjeuner aussi ?

— Bien sûr, old fellow ! Monsieur Talman, voici Timbo, mon aide fidèle.

— Enchanté de vous connaître, Timbo, dit Talman en lui tendant la main.

Riant de toutes ses dents, le boy essuya ses doigts à son pantalon et donna un puissant shake-hand à Talman :

— Oui, monsieur, oui ! Je suis bien content de te voir presque guéri monsieur et j'ai fait de la confiture de guayavas au miel sauvage pour toi, monsieur ; c'est bon pour les convalescents.

— Je n'en doute pas. Merci, Timbo.

— Je me charge d'apporter la salle à manger ici, monsieur, oui ? demanda le Noir à Stevenson. Mademoiselle Christine et monsieur mm... Steven'son prendront-ils le petit déjeuner près du monsieur malade, oui ?

— O.K., mon gars !

Le Noir s'éloigna en courant de son long pas élastique et apporta une petite table pliante ; il repartit aussitôt et revint avec deux grands engins bruns, lesquels, une fois posés sur le sol, prirent l'aspect de confortables fauteuils faits de bambous et de lianes savamment combinés et attachés avec des piassavas.

— Çà, par exemple ! s'exclama Stevenson. Voilà donc à quoi tu passais ton temps quand je ne te trouvais pas ! Eh bien je dois reconnaître que ton invention est judicieuse, mon grand !

Timbo se frottait dans les mains en trépignant de plaisir. Christine, donnant libre cours à sa joie, s'installa commodément :

— Comme attraction forestière ! commença-t-elle...

Rencontrant le regard noir de Stevenson, les mots lui restèrent dans la gorge.

— Si je ne savais le contraire, badina-t-il, je vous attribuerais le métier de mannequin professionnel !

Raymond Talman rit, tandis que Christine rebondit sur ses pieds en toussotant pour la forme. Elle reprit naïvement :

— Où peut-on faire un brin de toilette chez vous, docteur ?

— Venez, dit-il. Suivez-moi. Je dirai à Timbo de retarder un peu le petit déjeuner.

Elle lui emboîta le pas, malgré tout heureuse d'être ainsi prise en charge, et entra avec lui dans la grande tente. Le premier objet qui lui tomba sous les yeux fut un miroir encerclé de plastic, suspendu au bambou central qui soutenait la toile.

— Mais oui, expliqua Stevenson qui avait suivi son regard. Durant mes randonnées précédentes, quand la fantaisie me prenait de vouloir me raser, je regrettais l'absence de cet objet quasi indispensable... Maintenant cette lubie ne m'est pas encore passée par la tête. Si l'autre jour j'ai prétendu ne pas posséder de miroir, c'est que je ne voulais pas que vous vous effrayiez vous-même.

— Ooooh ! Etais-je laide à ce point ?

— Assez, oui. Maintenant tout ce que vous trouverez dans cette tente et dans le camp est à votre disposition. Si vous désirez coudre — je reconnais que certaines femmes en sont capables — vous découvrirez peut-être des vêtements dont le tissu vous conviendra pour les transformer à vos mesures. Voici un blouson de popeline rouge, une teinte qui vous seyera... Il n'y a pas de taureaux par ici et sa couleur voyante me permettra de vous tenir à l'œil. Fouiller dans tout ça et coudre, sera pour vous un agréable passe-temps en attendant que votre père soit en état de voyager et vous permettra de retourner dans le monde civilisé « vêtue » au lieu de ligotée dans ces haillons. Ces trucs-là étaient sûrement très jolis à l'achat, mais vous conviendrez que...

— Oui, oui, oui ! interrompit-elle, se souvenant avec un peu de mélancolie du pli impeccable dans son beau pantalon grège.

— Bon ! Voici une serviette, du savon... que désirez-vous d'autre ?

— Rien qu'un quart d'heure de temps. J'ai pu conserver un bout de démêloir et ma brosse à dent.

— Mais la voilà donc, l'explication ! Je me demandais comment vous faisiez depuis trois jours pour avoir l'air de sortir tout droit de chez le coiffeur ! Nagez-vous ?

— Heu... pardon ? Oh, bien sûr ! c'est-à-dire... un peu...

— Alors tâchez aussi de découvrir un vêtement dont vous puissiez sortir un maillot de bain. Dans deux ou trois jours nous nagerons ensemble.

— Sommes-nous très éloignés du Rio Tapajoz ici ?

— Quelques centaines de milles. Comptez-vous y aller à la nage ?

— Wow ! aboya Christine qui faillit avaler de travers.

— A vol d'oiseau, reprit-il en la conduisant derrière la

tente, ça peut faire environ deux cents milles. A pied, trois cents.

— Bon Jésus ! Nous nous étions égarés ! C'est affreux !

— Oubliez-le. Cette eau que vous croyez une rivière, n'est en réalité qu'un modeste bréjo grossi par les pluies. Nous en aurons encore pour un mois avant que les eaux ne soient rentrées dans leurs lits, même si les orages s'espacent. Cet endroit est presque devenu un lac aux eaux dormantes. Le bréjo, coupé de chutes, est navigable à l'heure actuelle, mais seulement par biefs. Ces troncs de buritys que vous voyez là se prêteront à merveille à la construction d'une balsa. A chaque chute qui nous arrêtera, nous la déchargerons ; les chevaux et les mules transporteront les bagages et elle descendra les cataractes sans nous. Si elle se brise sur les rochers, nous la réparerons ou en construirons une nouvelle. Ce sera un mode de locomotion plus rapide qu'à dos de cheval.

— De quels chevaux et mules parlez-vous ? s'étonna Christine.

D'une inclinaison du pouce il montra la forêt dense :

— Ne vous ai-je pas dit que nos chevaux et nos mules sont enfermés dans l'enclos près du mur ?

— Un mur ? Quel mur ?

— Allons, je vois que j'ai omis de vous apprendre ces petits détails : quand je vais explorer les forêts avec Timbo, nous nous déplaçons à cheval. La veille du jour où nous vous avons rencontrés, nous avions découvert cette presqu'île assez vaste mais très étroite à l'entrée, un endroit idéal pour camper. Un peu de travail à la bêche et déplacer quelques galets et granits en ont fait une forteresse imprenable. Nos bêtes sont en liberté dans un enclos fait de bambous, où elles se nourrissent de capimimosa. Quant à votre chat, il doit avoir pénétré ici avec nous quand nous vous avons transportés. Pour tuer le gibier pour nos repas et cueillir les fruits, je pars et reviens à la nage. Il y a bien, là-bas tout au bout, quelques crocodiles, les seuls animaux que je croyais avoir à redouter, mais ce sont des monstres gauches et lourds, probablement incapables de discerner notre odeur de si loin et, sans doute, trouvent-ils à se nourrir là-bas. Pourtant, vous ne nagerez pas seule, nous nagerons ensemble et seulement, là, sous le mancenillier... dont vous ne lècherez pas les branches : son suc est vénéneux. Ne l'oubliez pas !

Il ne lui demandait pas son avis. Il décidait, c'était tout.

— Prenez une demi-heure pour votre toilette, enchaîna-t-il. Entretemps je m'occuperai de votre père.

— Mais...

— Pardon ?

— Eh bien, si nous partons sur l'eau, que deviendrons vos chevaux et vos mules ?

— La balsa sera grande et stable. Assez grande et stable pour qu'elle puisse franchir les rapides sans mal. Les bêtes seront parquées dans une enceinte au centre où nous monterons aussi votre petite tente pour vous abriter du soleil. Vous devez savoir par expérience qu'il mord doublement sur l'eau.

— Si tous restent dehors, objecta-t-elle, je resterai dehors aussi !

— Non ! Pas question !

Christine demeura muette comme une carpe.

— Je vous laisse, reprit-il d'un ton neutre. Gardez votre revolver à portée de la main. Si malgré tout quelque chose n'allait pas, criez, mais à temps.

Elle acquiesça de la tête et le regarda s'éloigner à grands pas, la barbe en avant et l'arme au bout du bras.

***

Vers quatre heures de l'après-midi, la fatigue remonta le long des jambes de Christine ; une fatigue qui enkylosait son dos, sa nuque, ses épaules, ses bras.

Assise près de son père et le jaguarundi couché à ses pieds, elle avait senti plusieurs fois le regard de Stevenson peser sur elle. Après le délicieux dîner, composé de vrai potage, d'une cuisse de chevreuil rôtie et d'une macédoine de fruits frais, il lui avait conseillé de s'étendre un peu. Mais elle avait secoué la tête prétextant son fauteuil aussi confortable qu'un hamac ; elle aimait mieux demeurer chez son père même quand il dormait. En outre, après tout ce qu'elle avait connu ces dernières semaines, elle jouissait de l'ambiance paisible. Pourtant, en cet instant elle regrettait de n'avoir pas écouté le conseil du docteur et, craignant une phrase ou un regard railleur, elle n'osait plus guère se retirer. Et une autre heure passa qui changea la fatigue en douleur. Christine avait trop abusé de ses forces dès le premier jour qu'elle se prétendait guérie. Dans sa tête douloureuse ne retentissaient plus que des bribes de phrases, elle n'était plus capable de suivre la conversation. Son père lui posa une question à laquelle elle ne put répondre.

Sans un mot, Stevenson se redressa, la ramassa et l'emporta. Saisie, Christine retrouva plus ou moins ses esprits ; elle se défendit, mais la douleur la calma. S'abandonnant, elle laissa rouler sa tête sur son épaule, une larme d'impuissance lui échappa. Il la déposa dans son hamac et détacha le pansement sur son épaule d'où un filet de sang descendait sur son bras.

— Timbo ? appela-t-il.

— Si missié, si ?

— Tout mon attirail, s'il te plait, Timbo !

— Si missié, si !

— Qu'y a-t-il ? demanda timidement Christine.

— La plaie s'est rouverte, dit-il froidement en agitant furieusement sa barbe. Et c'est ma faute ! Si, après le repas, je vous avais enjoint de vous coucher, vous n'auriez pas osé désobéir au *docteur* en présence de votre père ! J'ai eu la curiosité de vouloir savoir combien de temps vous tiendrez bon ! Votre entêtement est aussi incurable que votre naïveté. Un moment j'ai même cru tenir votre chat sauvage au lieu de vous dans mes bras ! C'est regrettable. Cette épaule était presque guérie, comme l'autre.

— Bizarre, murmura-t-elle d'une note tremblante, qu'il existe des hommes toujours prêts à profiter de la naïveté des jeunes filles.

— Encore plus bizarre qu'il existe des jeunes filles qui font preuve de tant de naïveté !

Il acheva de la soigner en silence, puis, lui tâta le pouls, retira ses bottes, examina les ampoules de ses pieds.

— Docteur... je vous... demande... pardon...

— Incroyable ! jeta-t-il en croisant les bras sur sa poitrine. Ne vous ai-je pas dit que c'est ma faute et non la vôtre ?

— Oui... je sais... merci.

— Un conseil : ne jouez pas à la chattemite. Ca ne vous sied pas !

— Moi, jouer à !... et après ça, ma vieille Chris, bloque ta langue et tout le reste !

— Quel reste ? fit-il curieux.

— Ouais ! Quelque chose au fond de soi dont vous ne connaissez rien ! Que vous ne sentez pas ! Que vous ne voyez pas ! Que vous ne comprendrez jamais ! jamais ! jamais !

— Oui, fit-il aussi calme qu'elle était énervée et il poursuivit avec une pointe d'humour dont le sens profond ne pouvait échapper : C'est l'apanage de l'ours ! A propos, je mange du porridge ce soir. Et vous ?

— Du ?... Bon ! Je me conformerai aux désirs de *monsieur mm' Steven'son.*

Après avoir laché le nom à la manière hésitante de Timbo, elle lui tourna résolument le dos.

— Voilà, résonna la voix derrière elle. Voilà comment *monsieur mm' Steven'son* l'entend ! Et il aura l'honneur et le plaisir de servir mademoiselle Christine lui-même ce soir. En attendant, mademoiselle Christine prendra un calmant et mademoiselle Christine dormira !

— Haaa, vous êtes un...

— Ours !... Et vous un doux ange descendu tout droit du paradis. Si tous les anges du bon Dieu étaient faits à votre image, je prierais le bon Dieu de me préserver de ses anges. On dit le Paradis tellement grand qu'il doit bien y avoir un tout petit coin où l'on n'en rencontre point.

Christine faillit éclater de rire, mais elle soupira, tandis qu'il s'en fut. Il reparut deux minutes plus tard et dut aider la jeune fille à se redresser pour boire une tisane qu'elle qualifia de « jus de mare aux crapauds » !

Un quart d'heure s'écoula. Il revint sur la pointe des pieds et, fraudant un sourire dans sa barbe, il se rassit près de Raymond Talman — qui s'amusait prodigieusement. Le docteur reprit le fourbissement des armes et annonça, le visage un peu pâli :

— Elle dort, comme un ange !

CHAPITRE XIV

Christine avait transformé un pantalon kaki à ses mesures et une chemise de popeline crème en coquet chemisier ; il restait plus de tissu qu'elle n'en avait employé. Le blouson rouge dont avait parlé Stevenson avait été métamorphosé en maillot de bain. Il y avait, certes, quelques coutures fantaisistes qui n'avaient pas lieu d'exister mais elles n'avaient pu être évitées ; Christine se sentit d'autant plus fière du chef-d'œuvre qu'elle était parvenue à rassembler avec le tissu dont elle disposait ; l'ensemble était parfait.

Le « hic » à présent, c'était de paraître, vêtue de neuf, devant Stevenson qui ne manquerait pas de lui envoyer une volée de phrases abracadabrantes. Mais bah ! ce n'était qu'un mauvais quart d'heure à passer... comme tant d'autres.

Le regard de Christine glissa vers les objets éparpillés sous la tente. Voici déjà seize jours qu'elle vivait avec son père dans ce campement étranger.

Que seraient-ils devenus si le docteur ne les avait recueillis et soignés ? Un froid glacé courut entre ses épaules. Jamais, les misérables épaves humaines qu'ils avaient été ne pourraient lui témoigner assez de reconnaissance. Mais Stevenson n'était pas homme à comprendre pareils sentiments ; en tant que médecin, il accomplissait la tâche qui lui était dévolue, c'était tout. Mais Christine était peinée.

Machinalement, elle lissa la toile sur le sol et, en remettant de l'ordre, sa main rencontra un objet dur sous une serviette. Elle découvrit un petit crucifix en ivoire merveilleusement sculpté. Etonnée, elle le considéra longuement...

Le jour où elle avait dit à Stevenson qu'elle croyait en Dieu, il n'avait pas semblé attacher d'importance à sa vibrante affirmation de foi ; et voici que...

Se rendant soudainement compte de son indiscrétion, la jeune fille rougit comme si elle avait été prise en faute. Elle souleva la serviette pour remettre le Christ en place et vit un missel de cuir noir et un livre plus petit dans lequel elle reconnut une *Imitation de Jésus-Christ.*

Stupéfaite de trouver pareils objets en possession de Stevenson, elle ne put tout de suite en détacher le regard. Serait-il possible qu'une belle âme de Chrétien se cachât sous cette rugueuse enveloppe d'homme ? Se pouvait-il que son pere eût raison en affirmant que...?

Timbo approchait. Christine recouvrit les objets pieux et, collant un sourire de commande sur ses lèvres, elle quitta la tente.

Le boy déposa un troisième fauteuil de bambou pour Raymond Talman qui, à présent, pouvait se lever quelques heures par jour. Son horizon étant assez borné dans la petite clairière, le docteur lui permettait de se promener pour la première fois jusqu'au bord de l'eau aujourd'hui où Timbo apporterait le siège ; il y jouirait d'un site neuf, sauvage et magnifique, dans lequel il regarderait nager sa fille sous la surveillance du docteur.

Stevenson, accroupi près de Talman, et la pipe à la bouche, taillait des bambous destinés à être mortaisés dans les troncs des buritys sur la balsa ; ses mains n'étaient jamais inoccupees.

Devinant la présence de la jeune fille, il leva les yeux, dont, au fur et à mesure qu'elle approchait, l'expression se fit plus ahurie.

— Comment ! s'écria-t-il. Voilà un pantalon comme-ci et un chemisier comme-ça, lesquels, si je m'y connais en couleurs, sont loin d'être rouges ! Je vous ai pourtant vu couper mon beau blouson rouge en pièces ! Je vous ai vu y coudre ! Avez-vous transformé toute ma garde-robe en vêtements de femme ?

Raymond Talman cachait son plaisir sous sa main, tandis que Christine rougit. Mais elle redressa le buste, bien décidée à ne pas se laisser démonter cette fois :

— Votre blouson rouge est transformé en maillot ! fit-elle bravement.

— En... en maillot ? N'avions-nous pas décidé de...?

— Que je pouvais choisir ? Parfaitement ! Et je vous en remercie !

Il eut un geste vague de la main et soupira :

— Haaa ! On doit beaucoup vous pardonner ! C'est l'âge où s'éveille la coquetterie. Même ici...

— Timbo ? trancha Christine en levant superbement la tête. Veux-tu m'apporter cette oie sauvage, je te prie ?

— Quoi ? intervint violemment Stevenson.

— Certes ! Je plumerai cette oie et préparerai les repas désormais afin que Timbo puisse vous aider à tailler les bambous et tout le reste pour construire le radeau au plus tôt !

— Ma parole ! J'ai peur que vous ne convertissiez ce lieu paisible en asile de fou ! Timbo sait ce qu'il a à faire et il le fera !

— Moi aussi ! Je désire aussi que vous sachiez que je me chargerai volontiers de quelques travaux de couture si vous voulez me les confier.

— Que dois-je faire, monsieur ? demanda Timbo embarrassé en tenant l'oie sauvage.

— Donne-moi cet oiseau, Timbo, dit Christine ne laissant pas au docteur le temps de répondre. Et fais ce que monsieur Stevenson te dira.

— Oui, mademoiselle Christine, oui.

Stevenson n'avait plus le choix.

— O.K., mon bon ! Va couper des bambous, veux-tu ?

— Oui, monsieur, oui.

Christine prit place sur un pliant non loin de là. Elle mit le feu à quelques brindilles sèches et jeta les poignées de plumes arrachées, au fur et à mesure, dans les flammes.

— Désirez-vous aussi nous enfumer ? ironisa Stevenson.

— Pas de danger. Le vent vient derrière vous.

Il sourit et reprit sur une note qu'elle ne lui connaissait pas :

— Dites-moi, cendrillon, quand irons-nous nager ?

— Mais, quand vous voudrez, cher docteur ! chantonna-t-elle amusée.

— Quand... quand cet oiseau sera plumé ?

Le regard de Christine glissa de l'oie vers ses bottes éculées, puis jusqu'à celles, impeccables de Stevenson. Elle fit oui de la tête.

En prenant avec Talman les dernières dispositions pour

la construction du radeau, le docteur observait discrètement l'adresse de Christine ; elle vida l'oie, la troussa, l'embrocha et éparpilla les restes du petit feu du talon avant de s'éloigner pour mettre l'oiseau à l'abri des insectes.

En entrant dans la tente elle cria :

— Docteur, j'enfile mon maillot !

— Je vous aide, monsieur Talman, entendit-elle dire Stevenson à son père. Stevenson ne se départait jamais d'une aimable courtoisie envers lui, ce qui obligeait celui-ci — son obligé — d'en user de même envers lui.

Cet étranger était à la fois distant et très proche, hautain et condescendant, infiniment compliqué et étonnemment simple ; c'était un caractère aux attitudes constamment contrôlées auquel Christine ne comprenait rien. Ce quelque chose d'indéfini en lui qu'elle avait remarqué dès la première heure continuait à lui échapper et la tenait à distance. Elle le savait homme intrépide, réfléchi, généreux et aimait son regard tranquille et droit qui ne pouvait tromper. Pourtant, en dépit des seize jours de vie commune et de son aide si simplement prêtée, il restait un « étranger ». Il constituait un monde à lui seul qui n'avait besoin de personne, d'aucune affection, ni amitié ; il n'appréciait que le dévouement et la fidélité de Timbo dont l'esprit simple et confiant ne le gênait point.

Ils se retrouvèrent au bord de l'eau sous l'énorme mancenillier. Christine sortit la pipe de son père de derrière son dos et demanda :

— Docteur, il y a quelques jours vous avez promis que papa pourrait fumer aujourd'hui. Le peut-il ?

Stevenson, en slip noir, se tourna vers elle. Sur sa poitrine bronzée brillait une grande médaille de scapulaire en or. Leurs yeux se rencontrèrent. Il détourna les siens en jetant un : « Oui » sec et s'approcha de la berge en suspendant sa machette à sa ceinture de cuir ; il gardait toujours une arme sous la main, fût-ce pour nager.

Tout heureuse, Christine alluma la pipe de son père, jeta un baiser sur sa joue et courut vers la rive.

— Attendez ! enjoignit Stevenson.

— A d'autres ! lança-t-elle en dansant d'excitation à l'idée de pouvoir nager dans cette belle eau limpide ; elle se glissa devant lui comme un poisson fait la nique à la nasse en lui faisant un joli pied de nez. Mais il se jeta vers elle, saisit son bras et, la secouant sans égard, il tonna :

— Je vous ai dit d'attendre ! Je n'ai pas l'intention de vous arracher à un ratelier de crocodile !

— Hein ? fit-elle ahurie.

Malgré la gravité de ses paroles, il gardait dans l'accent une forte dose d'ironie. Il grimpa dans l'arbre et se balada à la manière de Tarzan sur une branche qui surplombait le cours d'eau ; la main en visière sur les yeux, il inspecta soigneusement les alentours ; la branche balançait et craquait à donner le vertige.

— Descendez de là ! cria Christine horrifiée.

— Eh quoi donc ? Vous avez peur que je me mouille ?

Se reprenant, elle riposta du tac au tac :

— Après tout, que voulez-vous que ça me fasse que vous vous rompiez les os ou non ?

— Rien ! fit-il amer. Bien sûr, ça ne ferait rien à personne ! Allez-y, sautez ! Hop !

Il plongea du haut de la branche et Christine se jeta à l'eau. En cet endroit rien ne tenait lieu de plage ; là où manquaient les rocs, les hommes avaient creusé une petite digue que d'éventuels sauriens ne pouvaient escalader.

Les colibris emplissaient le ciel bleu de rires et de couleurs ; des oiseaux-mouches, bariolés comme des papillons, pourchassaient les insectes au raz de l'eau ; des flocons de fumée jouaient parmi les fleurs et les bordures des arbres... la vie et le monde étaient bons et beaux !

Stevenson émergea de l'eau près de Christine ; durant quelques minutes ils nagèrent en silence, côte à côte. Près de de lui elle se sentait en sécurité ; son cerveau ne parvenait plus à situer le long cauchemar vécu, dans le cadre de la réalité. Il lui sourit. Ses dents blanches luisaient de malice dans la barbe gonflée d'eau.

... Cet homme n'était pas méchant, il était bon... Rugueux, mais bon ! Et, tout bien réfléchi, Christine l'aimait bien, oui, elle l'aimait beaucoup.

Il regagna la berge et s'aidant d'une branche, fit un rétablissement qui le déposa près de Raymond Talman. Au même instant celui-ci bondit sur ses pieds, un cri terrifiant échappa de sa gorge. Prêt à s'effondrer, il n'eut plus la force que de montrer sa fille du doigt. Stevenson *vit* et, poussant brutalement Talman en arrière, il hurla :

— Christine, revenez !!! Vite !!! Vite !!! Christine !

Un long museau plat traçait des sillons dans l'eau derrière elle qui, inquiétée par la voix et les gestes de Stevenson, tournait la tête en tous sens. En voyant la gueule d'un alligator à quatre mètres de ses pieds, l'horreur la poussa en avant avec une force innommable. Stevenson, courbé sur un escarpement, la machette entre les dents, attendait le moment favorable pour plonger.

— Non ! haleta Talman. Non ! Trop... tard ! Chris... ma Chris...

— Taisez-vous ! rugit Stevenson. Restez tranquille !

Christine, nageant avec la force du désespoir, n'était plus qu'à une dizaine de brasses de la rive, mais le saurien avait gagné deux mètres. Stevenson plongea...

Quelques secondes passèrent, effroyables... une éternité ! Puis il fut sous la bête.

L'eau se mit à bouillir, la lutte à mort était engagée ; la queue du monstre frappait l'eau avec colère, fabriquant une mer d'écume dans laquelle roulaient les deux corps soudés dans une étreinte mortelle. Parfois les bras ou les jambes de l'homme, serrés autour du grand ventre jaunâtre, émergeaient, puis disparaissaient de nouveau dans le remous. Un bras lâcha prise, une lame étincella. D'un geste extrêmement rapide accompli avec une précision hallucinante, elle plongea dans le ventre et le déchira.

Le tumulte se calma. Un dernier soubresaut secoua le saurien avant qu'il se tournât sur le dos ; peu à peu l'eau rougit, en emportant lentement le corps, vidé, vers le torrent.

Talman avait aidé sa fille à remonter sur la berge. Elle se retourna, s'agenouilla, tendit les bras, aida, tira, soutint le docteur et appuya ses lèvres sur sa main. Mais soudain, éclatant en sanglots elle se jeta dans les bras de son père.

Stevenson saisit son coude et, le souffle court, haleta :

— Allons... calmez-vous... c'est passé... Ce coquin se cachait sûrement dans ce coin depuis longtemps... Il n'a jamais cru devoir se déranger pour moi... mais vous, c'est différent... Il peut y avoir d'autres cachettes... Fini, la natation !

Talman, bien qu'encore pâle, trouva la force de sourire de sa boutade en serrant longuement sa main en silence. Le docteur enfila ses bottes et s'éloigna à longues enjambées. Et soudain sa voix, méconnaissable, s'éleva au loin, brutale, enrouée : — Timbo ?

— Oui, monsieur, oui ?

— Va chercher monsieur Talman sous le mancenillier ! Aide-le à se coucher ! Il a eu une émotion ! Un crocodile a failli saisir sa fille !

— Que dis-tu, monsieur ? Un crocodile a saisi mademoiselle Christine ?

— Presque, sonna sourdement la réponse. Elle nageait plus vite que lui.

— Plus vite ? rit Timbo. Hi hi hi, oui, monsieur, oui, hi hi hi !

— Et monsieur Talman a perdu sa pipe ! Cherche-la !

— Oui, monsieur, oui.

Le rire d'enfant heureux du Noir courait comme un chant d'oiseau dans la clairière... Raymond Talman écarta le jeune visage, ruisselant d'eau et de larmes, de son épaule :

— Va te vêtir, Chris ; sois forte ! Mais... quoi qu'il arrive, n'oublie jamais ce que nous lui devons.

Christine ne put articuler une syllabe. Elle courut, en titubant, vers la tente où elle tomba à genoux devant le crucifix ; son action de grâce se changea en longue méditation. Après une heure, elle sortit, inquiète de la réception que Stevenson lui réserverait. En longeant les arbustes, la brise lui apporta une discussion fiévreuse ; la consternation la cloua au sol, toute tendue vers l'endroit d'où montaient les paroles qu'il prononçait :

— Tout individu n'a-t-il pas le devoir de guider son existence selon les circonstances et les possibilités de ses moyens ? Pour moi ces possibilités sont nulles ! Je vous sais honnête, monsieur Talman, sinon je ne vous confierais pas ce qui suit : je suis un homme exclu de la vie. Moralement, je n'en attends rien, je n'ai rien à espérer... ni femme, ni foyer... jamais d'enfants... je n'ai pas le droit de leur léguer un nom diffamé. Matériellement, je possède une fasenda non loin d'ici en pleine brousse. J'élève des troupeaux de bœufs et dresse les chevaux sauvages vivant en liberté sur mes vastes terres, en grande partie défrichées et toutes clôturées ou encerclées par les cours d'eau. Mais cette fasenda, ces terres, ces troupeaux, n'ont pas été achetés par moi, mais au nom de mon intendant, un ami loyal. Pourtant, si demain il me trahissait, je ne posséderais plus rien ! Je n'aurais rien à revendiquer. C'est lui, Pedro Gomez, qui « est le lien » entre ma fasenda et le monde civilisé ; c'est lui qui fait, pour moi, à son nom, toutes les opérations commerciales. Moi-même, je ne m'éloigne jamais d'ici, la brousse est mon univers. Pour me distraire, je fais la chasse aux plantes avec mon fidèle Timbo pour mon laboratoire. J'habite ces forêts comme les bêtes et, comme les bêtes, je tue pour vivre, et lutte pour n'être pas tué ! Si un jour je dois y rester, personne ne me pleurera...

Tremblante, Christine avait cherché appui, mais elle s'enfuit soudain, comprenant qu'elle n'avait pas le droit d'écouter les confidences du docteur à son père. De ce qu'elle avait entendu — bien malgré elle — elle déduisit que Stevenson devait fuir le monde... se cacher !

Qui était-il ? Quel grave délit avait-il commis pour qu'il fût contraint à cette vie solitaire ? Pour n'avoir pas le droit de créer un foyer ?...

Christine n'y pouvait croire ! Elle ne pouvait croire à la malhonnêteté du docteur Stevenson ! Instinctivement, elle *savait* qu'il était homme loyal, digne de considération, de respect, de confiance. Elle s'assit dans le fauteuil, abandonné au bord de l'eau, à l'endroit même où il s'était jeté à l'eau pour lui sauver la vie, n'hésitant pas à attaquer un alligator, une des bêtes les plus sanguinaires du Seringal... Elle réentendit sa phrase ironique : « Je n'ai pas l'intention de vous arracher à un ratelier de crocodile. » et celle, adressée à Timbo : « Elle nageait plus vite que lui. » Il ne parlait pas de lui-même ; toujours, il passait ses exploits sous silence, narrait les faits avec très peu de détails ; il aimait mieux laisser ses actes héroïques dans l'ombre. Christine frissonna... sa peur pour lui avait été effroyable !

Mais qui donc était-il ? Quel était son vrai nom ? Sa nationalité ? Son âge ? De quel méfait... ou crime ! l'accusait-on ?

Que de questions auxquelles elle ne put répondre ! Auxquelles elle ne pourrait jamais répondre, car bientôt ils se quitteraient, ils ne se reverraient plus guère en ce monde...

Un peu plus tard Talman appela sa fille. Il était seul, et dit de sa voix grave :

— Chris, monsieur Stevenson m'a exprimé le désir d'oublier le drame qui s'est déroulé cet après-midi. J'ai promis, aussi en ton nom, de ne jamais plus y faire allusion. Il a été décidé de lever le camp demain matin. Nous suivrons le cours d'eau en aval environ d'un mille et descendrons dans la vallée où tombe le torrent près duquel il nous a trouvés. Nous camperons sur la rive jusqu'à ce que le radeau soit construit — auquel je ne pourrai malheureusement pas aider. En deux ou trois jours, nous atteindrons la fasenda qu'il possède dans la brousse ; nous serons ses hôtes jusqu'à ce que je sois suffisamment remis pour qu'il puisse nous faire conduire à Santarem. De là un bateau nous ramènera à Bélem d'où nous gagnerons facilement le Mas. Je dois encore te dire, Chris, que les habitants de l'Amazonie croient cette fasenda la propriété de Pedro Gomez, l'intendant du docteur Stevenson. L'existence de ce dernier « doit » rester secrète ! S'il nous a jugés dignes de confiance, c'est qu'il sait que ni toi ni moi ne le trahirons « jamais » ! J'estime, après ce qu'il a fait pour nous, que c'est bien le moins que nous puissions faire pour lui. Es-tu d'accord, petite fille ?

— Oui, murmura Christine. Mais... j'avais surpris incidemment une partie de votre conversation, puis... j'ai fui... T'a-t-il donné aussi la raison pour laquelle il doit se... cacher ?

— Non, mon petit. Et je n'ai pas cru devoir la lui demander.

— Naturellement, dit-elle d'une voix sourde et rêveuse. Bien sûr... c'est un être moqueur... quelquefois cynique... ou *dur* même... mais il n'est pas capable d'une vilenie, n'est-ce pas, papa ?

— Non, Chris. Et, ce que tu appelles : moquerie et cynisme et dureté, ne sont que taquineries innocentes, lesquelles, ici, font partie de son art médical.

— Répète que tu ne le crois pas coupable ? Répète !

— A mon avis, c'est un homme foncièrement honnête et, tel que je te l'ai dit voici plusieurs jours, il connaît le sens profond de la charité et la met magnifiquement en pratique. Il y a un secret dans sa vie qu'il nous demande de ne pas chercher à pénétrer. Si je pouvais l'aider, il me confierait ce secret, car il sait que je l'aiderais. S'il s'en abstient, c'est qu'il a la conviction que je ne peux rien pour lui. Si, en nous découvrant, il avait craint d'avoir à faire à des aventuriers, il nous eut administré un réconfortant, trouvé un abri, laissé de la quinine, des vivres, des armes et se fut évanoui dans la brousse avant que nous eussions repris connaissance. Il a compris que nous n'étions pas malfaisants et nous a secourus sans se soucier de la fâcheuse situation dans laquelle il se mettait à notre égard. Il est de notre devoir de nous montrer digne de sa confiance, c'est-à-dire : *nous devons oublier son existence* tel qu'il en a exprimé le désir.

— Ce doit être horrible d'être exclu du monde !

— Il a eu le courage de se créer une vie loin de ce monde qui le condamne, dans lequel il est secondé par des hommes fidèles. J'ignore s'ils connaissent la raison qui l'en éloigne il ne m'a appris que juste ce qu'il fallait pour que je comprenne ce qu'il attend de moi et de toi.

— Il a donc aussi confiance en moi, dit rêveusement Christine.

Sentant sa gorge se nouer, elle se sauva. Talman ne chercha pas à la retenir.

Christine alluma farouchement le foyer sur lequel elle rôtirait l'oie sauvage et se mit à éplucher des fruits dont elle ferait une compote. Lorsque le docteur revint, elle vit tout le côté de son visage tuméfié ; un peu de sang perlait sur sa tempe.

— Laissez-moi vous soigner, dit-elle simplement.

Il hésita, puis acquiesça et lui donna les indications nécessaires.

— Comment est-ce arrivé ? demanda-t-elle.

Il aspira bruyamment et jeta :

— Dans l'eau !

Christine, ne répondant pas, il comprit que son père lui avait parlé. Dès ce jour, il accepta, en toutes circonstances, son aide avec gravité.

CHAPITRE XV

Stevenson avait repéré une petite anse, abritée d'une épaisse haie de mamburros. Le chemin parcouru à cheval, bien que relativement court, avait accablé Talman; aussi était-ce à lui que le docteur consacra ses premiers soins après l'avoir couché dans un hamac. Timbo déchargea et parqua les chevaux et les mules, grimpa sur les arbres dont il abattit un monceau de branches et de palmes pour construire des barricades et assembla du bois sec pour établir une barrière de feu. Christine l'alluma et continuerait à l'alimenter afin que les hommes pussent se mettre à l'ouvrage.

De grands palmiers, aux troncs droits comme des bambous, tombaient sous les haches. Deux eyras — une sorte de puma à la peau orangée et soyeuse — se montrèrent, mais les énormes feux ne leur inspirant guère confiance, ils s'éloignèrent. Christine vit luire au loin des grappes de fruits sur un immense taruma. Tout proche, les crêtes des arbres étaient tellement denses que pas une plante ne trouvait air ni lumière pour y croître. A l'ombre des troncs figés, la forêt entière s'offrait à la vue et dans la large étendue, pas un fauve ne se montra.

Le fusil à la main, la jeune fille se dirigea vers l'arbre dont les branches ployaient sous les fruits. En cours de route elle tua un petit quadrupède que, le midi, le docteur appela un « agouti ». Elle le suspendit à une branche, mais, soudain, bondit en arrière...

Un Indien, caché derrière le tronc, la considérait, avec, dans les yeux, une sorte de mendicité hideuse. Etonnée de son immobilité, Christine s'affola pourtant et appela :

— Au secours !!! Docteur, au secours !!!

Les haches rebondirent sur le sol ; Stevenson accourut, suivi de Timbo. En voyant l'Indien, le regard du docteur scruta les alentours. L'homme semblait seul.

— Il est blessé, chuchota-t-il. Mais, voyez donc ! Ha, le malheureux !

Il s'agenouilla près de lui. L'homme recula, terrifié. Stevenson le calma en prononçant doucement quelques phrases que Christine ne pouvait comprendre. Bien que le blessé fût couvert de sang, de bourbier et de fourmis, le docteur le prit dans ses bras et l'emporta au camp où il le coucha dans un hamac. Oubliant ses fruits, Christine reprit l'agouti et les rejoignit. Le blessé reçut une piqûre, un gobelet de vin et, épuisé, il s'endormit. Timbo apporta de l'eau pour laver et nettoyer les horribles plaies de l'Indien et en déloger les grappes de fourmis blanches. Le cœur serré d'horreur et de pitié, Christine eut une nausée, mais, se dominant, elle s'approcha :

— Puis-je vous aider, docteur ?

Il la considéra un instant et fit un geste affirmatif. Serrant les dents, elle se mit à laver la chair déchiquetée aux creux de laquelle grouillaient les cupinas, les fourmis les plus féroces de la terre. Ils mirent plus de trois heures pour désinfecter les plaies et les panser. En outre, la jambe gauche de l'homme était fracturée. Il semblait avoir fait une chute et était devenu la proie des fourmis. Sans la prompte intervention du docteur, elles l'auraient dévoré vivant.

Christine ne refusa pas le café bouillant et très fort que lui versa Stevenson.

— Nous aurons quelques jours assez durs à passer, dit-il. Kucha, notre malade, est un Indien nomade dont le toldo est érigé à deux lunes d'ici. Je le crois d'une vieille race indomptable pour qui tout Blanc reste suspect. En remarquant son absence prolongée, ses compères viendront le chercher dans ces parages. S'ils nous découvrent, il est probable que le cacique nous épargne en reconnaissance de ce que nous avons fait pour l'un des leurs, mais j'aime mieux ne pas m'y fier et disparaître avant leur arrivée. En conséquence la balsa doit être prête demain soir ; nous travaillerons jour et nuit, et dans le noir ; nos feux doivent être éteints avant le crépuscule, ils trahiraient notre présence. Il s'agira de monter une garde sévère toute la nuit !

— Je m'en charge, dit simplement Christine. L'Indien a-t-il dit de quel côté est situé son hameau ?

— Non. Mais il ne peut l'être qu'en aval du bréjo ; les Indiens dressent leurs toldos à proximité de l'eau. Mais, je ne permettrai pas que vous...

— Pourquoi, interrompit Christine, ne retournerions-nous pas vers notre presqu'île où il suffirait d'abattre quelques arbres dont les têtes tomberaient sur la rive opposée ? Nous passerions sur ce pont improvisé et le détruirions après notre passage ; le torrent l'emporterait et le cours d'eau nous séparerait des Indiens ?

— Une proposition judicieuse si ces gens-là n'avaient pas de pirogues, mais je ne doute pas qu'ils en aient. Aussi, n'oublions pas que nous avons maintenant deux malades à transporter avec lesquels il serait beaucoup plus malaisé de grimper la montagne que de la descendre. En outre, si nous nous établissons sur l'autre rive, même en admettant que les Indiens ne disposent pas de pirogues, ils trouveraient un moyen, comme nous, de traverser le bréjo et, au lieu de pouvoir fabriquer un radeau nous devrions nous embusquer car ils nous accuseraient d'avoir enlevé l'un des leurs ; ils sont capables de nous assiéger jusqu'à ce que nous n'ayons plus ni poudre, ni balles. Non ! mieux vaut fuir en construisant dans un minimum de temps un moyen de transport rapide. De toute manière, nous passerons dans leur champ visuel et ils pourront nous suivre ; espérons que la vue de notre équipement complet, de nos armes à feu et la crainte des représailles, les tiendront à distance sans nous obliger à faire un massacre. Du reste, je suis persuadé qu'ils ne s'éloigneront guère de leur toldo où ils doivent défendre leurs femmes et enfants contre les fauves. Kucha n'a jamais été en contact avec un Blanc.

Christine acquiesça de la tête et demanda timidement :

— Votre fasenda n'est-elle jamais assiégée par ces peuplades encore inaccessibles ?

Un peu d'impatience sonnait dans la réponse :

— Pendant que la maison et les dépendances étaient en construction, nous nous savions surveillés par des centaines d'yeux. Nous-mêmes étions nombreux et fort bien armés.

Quand les Indiens ont compris que nous ne leur voulions pas de mal, quelques chefs — car ces gens ont des accoutumances entre eux — sont venus me trouver. Je leur ai fait comprendre que je n'occuperais qu'une infime partie de leurs territoires de chasse, mais, cette partie m'étant allouée par le gouvernement, j'entendais la garder et *la défendre* le cas échéant. Je leur ai proposé de vivre en amis, je leur ai présenté mes services en commençant par leur offrir un tapir qui leur fournissait une masse de viande fraîche. A l'heure actuelle, il arrive qu'une femme vienne me trouver en cachette quand elle sait son enfant condamné par une maladie que les exorcismes du sorcier ne peuvent chasser de son corps. J'ai aussi pu engager quelques jeunes Indiens de ces tribus dont Gomez est parvenu à faire de très bons vaqueros, des hommes d'une pièce, comme nos métis, nos Uruguayens, nos Noirs du Sud, nos Mexicains et même des Italiens, des Belges et des Anglais... sans oublier un Birman et un ménage javanais. Une fois par an je tue plusieurs chevreuils et offre un festin aux tribus indiennes dont j'ai conquis l'amitié ; c'est un spectacle coloré qui vaut la peine d'être vu. Notre blessé n'est pas en état de parler beaucoup ; j'ignore s'il fait partie des nomades qui me connaissent ou qui fréquentent les Blancs ; c'est pourquoi il est prudent de nous éloigner.

Ne permettant plus à Christine de parler, Stevenson s'éloigna et elle n'osa le suivre... A présent il existait chez lui une sorte de réserve qui la tenait à distance, comme s'il eut souhaité, après ce qu'il avait voulu qu'elle sache de lui, qu'aucune intimité ne s'introduise plus avant dans son existence. Le cœur en émoi, Christine retourna à la cueillette de ses fruits.

Lorsque le repas fut prêt, elle laissa éteindre les feux ; tel que le docteur l'avait dit, il ne fallait pas que les flammes s'aperçussent de loin et trahissent leur présence.

Les palmiers s'abattaient, un à un, avec un grand bruit mou qui s'arrêta avant que l'ombre lourde de la nuit s'étendît sur le camp. Seul le champ éblouissant des étoiles australes et un maigre croissant de lune illuminaient le ciel et la terre. Stevenson s'assit un peu en retrait sur un tronc culbuté. Dans la pâle lumière, son visage au profil énergique reflétait la gravité de ses pensées ; son immobilité lui conférait un air de majesté. Christine retourna vers les cendres encore chaudes près desquelles le Noir s'apprêtait à servir le repas qu'elle avait préparé.

— Non, Timbo, dit-elle. Je m'en charge. Repose-toi un peu.

Les yeux ronds, le Noir voulut protester, mais lorsqu'elle posa sa main sur son bras, il n'osa plus parler et, gêné, se laissa servir par elle. Elle apporta le repas à Stevenson ; manifestement distrait et soucieux, il l'accepta en silence. Sans doute, les hommes étaient-ils fort las de cette journée exténuante... et la nuit de travail n'avait pas encore commencé...

Christine servit son père ; elle fit sauter le couvercle d'une boîte de lait et souleva le jeune Indien pour lui mettre le gobelet aux lèvres. Ne pouvant se comprendre, elle lui sourit. Péniblement, il prit sa main et la porta à sa poitrine et son front. Derrière elle la hache reprit son travail. Elle rejoignit le docteur et demanda :

— Pourquoi ne terminez-vous pas votre repas ? Pourquoi ne prenez-vous pas un peu de repos ? Pourquoi ?

Du bois mort jonchait le sol qu'il fit craquer d'un pied rageur.

— Le travail presse, dit-il sans lever la tête.

La hache fendit un tronc avec un éclatement assourdissant. Une fraction de seconde elle hésita entre le parti à prendre : se mettre en colère ou...?

— Bon ! fit-elle. Je veillerai pendant que vous travaillerez ; je donnerai à boire au blessé toutes les heures. Bientôt nous pourrons tous nous reposer.

Christine se dirigea vers la tente ; elle ne briserait pas la volonté obstinée et l'énergie de fer qui guidaient cet homme. Consciente de son devoir, elle sortit dans la nuit. Elle avait promis de veiller.

Elle veilla toute la nuit, soigna le malade, tua quatre fauves et porta deux fois du café et des toasts aux hommes qui travaillaient d'arrache-pied. Sachant que le docteur aimait les gruaux d'avoine, elle en prépara à l'aube pour le petit déjeuner. Il vint rejoindre Talman et s'assit sur une pierre devant la petite table pliante. Christine ne se montra point. Après une heure, inquiet de son absence prolongée, Stevenson abandonna son travail et partit à sa recherche. Il la trouva sous l'auvent de la tente, endormie sur le sol, tenant encore une chemise d'homme, la sienne, qu'elle recousait, à la main. Rundy, couché près d'elle, veillait.

Il la considéra quelques instants si jeune et si courageuse, si faible et si forte... Consciente d'une présence, Christine s'éveilla. En rencontrant les yeux du docteur dans lesquels elle lut son regret de l'avoir éveillée après cette longue nuit de veille, elle bondit sur ses pieds.

— Je suis désolé, dit-il. Vous savez que vous ne pouvez pas rester couchée sur le sol. Votre hamac...

— Je sais, dit-elle. Mais... je n'ai pas le droit de dormir ; j'ai ma tâche comme vous avez la vôtre. Merci de m'avoir réveillée.

Talman ayant entendu les quelques phrases échangées, intervint

— Viens te coucher ici, Chris, je suis capable de monter la garde. Dors quelques heures afin de pouvoir prendre la veille la prochaine nuit. Le docteur Stevenson doit pouvoir compter sur toi.

Le regard de Christine glissa vers la belle eau transparente lutinant au soleil, où se mirait l'azur et riait la brise ; des dizaines de papillons folâtraient dans le ciel, avec les oiseaux qui fabriquaient un chœur inimitable ; deux toucans au plumage éclatant jouaient dans un cinchona ; une compagnie de sakis, de jolis petits singes, bondissaient de branche en branche ; des couples d'aras de toutes les couleurs, se fâchèrent et, étalant leurs ailes chatoyantes, se posèrent un peu plus loin ; un vol de passereaux blancs et orange glissa dans une trouée de lumière ; un banc de poissons argentait le bréjo ; un groupe de tantales, échassiers à livrée blanche et rosée, fleurissaient la rive opposée à l'ombre de gracieux raphias... Christine soupira.

La balsa en construction reposait au bord de l'eau. Composée de trois étages, le plateau pourrait supporter un poids considérable. Quelques bambous étaient déjà debout, mortaisés en rangs serrés, dans les troncs. Effilée devant et écornée à l'arrière, elle serait d'une maniabilité et d'une stabilité parfaite.

Triste de devoir quitter ces splendeurs, Christine dit, frémissante :

— Je dormirai la prochaine nuit quand la balsa nous aura éloignés d'ici.

Talman leva un regard interrogateur vers Stevenson qui, le visage ruisselant de sueur, acquiesça de la tête ; puis il les quitta pour reprendre son travail.

***

Quatre jours avaient passé.

Les voyageurs avaient côtoyé le hameau indien dont les riverains s'étaient contentés d'observer à distance le radeau-embarcation trop parfaitement équipé pour qu'ils osassent le rejoindre ; ils ignoraient que leur frère disparu reposait sous la tente.

Le deuxième jour les chasseurs n'avaient pu repartir avant quatre heures de l'après-midi ; une terrible tornade les avait mis en demeure de se serrer tous sous la toile, après avoir consolidé les amarres du radeau échoué dans les papyrus. Ils abordèrent enfin entre les écueils sur une terre rougeâtre d'où partait un chemin qui se fondait dans le sous-bois. Stevenson tira deux fois trois coups de carabine, signal vraisemblablement convenu lors de ses retours.

Il mit la demi-heure d'attente à profit avec Timbo pour libérer les chevaux et les bêtes de bât. Un moteur vrombit au loin et s'approcha ; des bruits de voix s'élevèrent. Un véhicule tout terrain parut sous les arbres et trois Indiens bondirent sur le sol. Ils donnèrent une joyeuse claque sur les fesses des bêtes qui, les muscles ankylosés par leur longue immobilité, partirent cahin-caha vers leurs écuries. Les hommes se précipitèrent vers Stevenson qu'ils appelaient « doctor » et qui leur rendit jovialement leur salut à la manière et dans le langage du pays. Il leur montra leur frère sous la tente, leur dit de veiller sur lui en attendant la Jeep qui viendrait l'enlever et de lui donner un bon lit jusqu'à ce qu'il puisse rejoindre sa tribu, si tel était encore son désir.

Le docteur se tourna alors vers l'homme assis derrière le volant qui descendait lentement de la voiture. Le visage fermé et une question inquiète dans les yeux, il considéra Talman et sa fille, semblant se demander ce que venaient faire ici ces intrus.

Stevenson lui serra chaudement la main en lui glissant quelques mots tout bas dans l'oreille et, le bras autour de ses épaules, il procéda aux présentations :

— Mon ami Pedro Gomez, dont je vous ai parlé. Pedro, monsieur Talman et sa fille, mademoiselle Christine, sont Français comme ta femme et habitent le Brésil comme nous. J'ai eu la chance de pouvoir les secourir.

L'intendant, Portugais racé, avait recouvré sa sérénité. Mince et de taille moyenne, il semblait avoir une quarantaine d'années ; il était vêtu d'un pantalon clair et d'une chemise de popeline blanche dont les manches, roulées au-dessus des coudes, découvraient les bras musclés ; son visage étroit, aux joues glabres et à l'œil vif et droit, attirait ; de prime abord sa personne incitait à la confiance.

— Je crois, dit-il d'une voix avenante en serrant les mains tendues, que le doctor et ses amis ont, avant tout, grand besoin de repos. Et toi aussi, mon vieux Timbo.

Il donna une tape amicale sur l'épaule du boy.

— Oui, monsieur, oui. Mais il faudra d'abord faire reposer le monsieur malade.

— Heureusement, dit Talman, je ne suis plus que convalescent.

— Dont je me chargerai, intervint Christine. Notre dette n'est déjà que trop lourde envers monsieur Stevenson.

A peine eut-elle prononcé le nom qu'elle comprit sa maladresse et la regretta. Elle n'avait pas le droit de commettre une indiscrétion... bien involontaire. Pourtant, le visage souriant de Pedro Gomez ne bougea point ; les quelques mots, que les hommes avaient secrètement échangés en se retrouvant, l'avaient mis en garde.

En posant les doigts dans la main du docteur qui l'aida à monter en voiture, elle chuchota.

— Je m'excuse de ma maladresse. Heureusement vous avez pu prévenir monsieur Gomez.

Il sursauta. Remuant légèrement la tête en un geste négatif, il dit tout bas :

— Non pas par méfiance, croyez-moi. Vous emporterez fatalement un souvenir ; je veux que ce soit celui d'un homme qui-n'e-xis-te-pas !

Sans plus, il prit place près du chauffeur et le véhicule s'ébranla. Ils traversèrent une belle forêt sur une route élaguée, courant entre les rocs et les bouquets de végétation, et émergèrent dans une clairière au pied d'une colline aux pelouses tondues. Au sommet, une construction, entourée d'une véranda et éclatante de blancheur, se cachait du soleil sous de splendides sapins. A droite, un bois d'yerbales ombraient une trentaines de casas, peintes de blanc également et nettement alignées. Quatre grands chiens vinrent accueillir le maître par de joyeux aboiements. Stevenson chercha une corde à ses pieds et dit à Christine :

— Peut-être serait-il prudent d'attacher Rundy et de le tenir en laisse. Le bruit pourrait l'effrayer.

Ajoutant aux aboiements des chiens, des cris et des appels fusèrent de partout, amplifiés par l'acoustique de la montagne.

Le véhicule grimpa la colline et s'arrêta devant la porte, où il fut aussitôt entouré d'hommes, de femmes et d'enfants de toutes races, qui manifestaient bruyamment leur joie de revoir le « doctor » parmi eux. Les deux bras tendus, Stevenson serra toutes les mains.

Un peu étourdie, Christine considéra le tableau coloré... fallait-il qu'il fût aimé, pour que pareil accueil lui fût réservé !

Mais soudain le silence se rétablit ; tous les regards convergeaient vers les étrangers, la plupart simplement curieux, quelques-uns méfiants ou hostiles. D'un geste bref de la main, Stevenson signifia au groupe de s'éloigner et introduisit ses hôtes dans la maison.

Dans le hall attendait une jeune femme. Son beau visage ovale, ému et souriant, se figea en voyant les inconnus. Stevenson l'embrassa et lui chuchota quelques mots qui la rassérénèrent, puis il s'adressa à Talman et Christine :

— Je vous présente Anne, la femme de Pedro et... ma sœur de lait. Elle a six charmants enfants dont vous ferez la connaissance quand vous aurez pris quelques heures de repos. Anne, monsieur et mademoiselle Talman seront mes hôtes. Veux-tu soigner d'urgence pour des vêtements, car ils ont tout perdu. Fais préparer la chambre qui domine le lac pour mademoiselle Christine et la mienne pour monsieur Talman.

Ce dernier voulut protester, mais, posant fermement la main sur son bras, Stevenson l'obligea à prendre place dans un fauteuil du beau living dans lequel ils avaient pénétré :

— Non, ami. Permettez-moi de vous donner ce titre. Vous occuperez ma chambre à l'étage, située en face de celle de votre fille. Le divan que voilà me conviendra parfaitement.

... Anne était la sœur de lait du docteur... il n'avait pas jugé utile d'en faire mystère et ceci expliquait leur revoir affectueux. Elle semblait âgée d'une trentaine d'années. Se pouvait-il que le docteur, qui avait nécessairement le même âge, fût si jeune ? Cette horrible barbe le vieillissait-elle à ce point ?...

Distrayant Christine de ses pensées, Stevenson se tourna vers Gomez :

— Avant tout un drink, mon vieux ! Un drink pour tous ! Et à part ça, rien de neuf pendant mon absence ?

— Non, doctor, dit Gomez d'une voix hésitante. Rien de neuf... jusqu'à présent.

— Jusqu'à présent ? Que signifie cette phrase ?

Anne disposait des verres de cristal sur un plateau d'argent. Etonnée, Christine remarqua d'autres objets de valeur dans la pièce. Tandis que Gomez s'éloignait vers le bar, Anne dit doucement :

— Les journaux vous attendent avec quelques factures et... une lettre.

— Une lettre ? sursauta Stevenson. Une lettre qui m'est adressée ? D'où peut-elle...?

— D'Afrique, murmura Anne, si bas, que Christine devina les paroles sur ses lèvres plutôt qu'elle ne les entendît.

Le visage de Stevenson se décomposa, il devint terriblement pâle. Il fit un pas en avant, chancela, et s'abattit dans un fauteuil.

Abasourdie, Christine se précipita vers lui, saisit un verre que Gomez venait de remplir et aida le docteur à avaler quelques gorgées. Une bouffée de sang lui monta au visage ; son regard éperdu rencontra celui de Christine, il se détourna avec impatience.

— Je devais vous le dire tout de suite, n'est-ce pas ? dit Anne en guise d'excuse. Si cette lettre est là...

— Si... cette lettre... est là, hoqueta Stevenson, c'est que... ô Dieu ! serait-ce possible ? Donne, Anne ! Vite, donne-moi cette lettre !

— Mieux vaudrait vous calmer d'abord, murmura Christine, bouleversée.

Il saisit sa main, la serra à la broyer :

— Si vous saviez... ce que cette lettre signifie pour moi ! Si cette lettre est venue...

Sa voix se brisa. Haletant, il considéra les doigts qu'il tenait dans sa main. Mais soudain il les rejeta en éclatant d'un rire de dément ; il roula sa tête dans ses paumes, en criant d'une voix rauque :

— Fou ! Fou que je suis ! Comme si c'était possible ! Possible que... Ha, une lettre ! Une lettre d'oncle Jan ! Non, non ! Ce n'est pas vrai ! pas vrai ! pas vrai !

Sidérée en voyant cet homme si fort et sûr de soi, en pareil état, Christine ne savait comment se comporter. Elle interrogea du regard son père debout de l'autre côté du docteur. Devaient-ils se retirer ? Pouvaient-ils aider sans commettre une indiscrétion ?

— Cette lettre ! hurla Stevenson en faisant de vains efforts pour se redresser. Je veux cette lettre !

Posant sa main fraîche sur son front brûlant, Christine dit fermement :

— Vous aurez la lettre quand vous serez raisonnable !

Dans le visage méconnaissable, le regard noir chaviré revint vers elle. Il frissonna et répéta faiblement :

— Si... cette lettre... est venue... Si c'est vrai qu'elle est... venue c'est que... je suis sauvé ! Je vous en conjure... donnez-la-moi ! Je dois la lire... Je dois savoir... Je serai calme, oui, je serai calme...

Il n'était plus qu'un enfant suppliant, promettant d'être sage afin d'obtenir un jouet convoité. Tremblante de la tête aux pieds, Christine leva son regard humide vers Anne. Elle tendit l'enveloppe. Stevenson eut un geste violent pour la saisir, mais il se domina : ses mains ne seraient pas capables de l'ouvrir. Christine la coupa et la déposa devant lui. Et, tandis qu'il considérait l'adresse en se mordant la lèvre, elle recula vers le chambranle de la porte et s'y appuya. Son père, Pedro Gomez et Anne s'éloignèrent vers la fenêtre ; leurs regards absents glissaient sur les lointaines découpes des forêts, sur l'immense étendue des plaines où broutaient de nombreux troupeaux... Dans la pièce se jouait un drame terrible... Christine et son père en ignoraient la tragique profondeur.

Le docteur versa le contenu de l'enveloppe sur la table ; des découpures de journaux s'échappèrent. Ses doigts les saisirent, les rejetèrent, en prirent d'autres... ses yeux les dévorèrent. Il déplia fébrilement une lettre... son souffle roulait puissamment entre ses épaules... Soudain la feuille lui tomba des doigts.

Les yeux hagards, il considérait les papiers éparpillés et, tout à coup, abattant la tête sur ses coudes repliés, il éclata en bruyants sanglots.

Jamais, Christine n'avait imaginé pareille douleur d'homme...

Jamais, elle n'aurait cru pareil homme capable de manifester pareille douleur... à moins que...

La main de Stevenson se crispa sur les feuillets, les attira vers lui. Christine put lire un titre imprimé en caractères gras :

LE DOCTEUR PATRICK STEVENS, CONDAMNE A VIE ET EVADE DE PRISON VOICI SIX ANS, EST RECONNU INNOCENT DU CRIME DONT IL FUT ACCUSE.

Puis un autre :

LE DOCTEUR STEVENS, ACCUSE DE MEURTRE, EST LAVE DE TOUTE FLETRISSURE. LE COUPABLE FAIT DES AVEUX COMPLETS.

Christine, étouffant un gémissement, roulait la tête sur le bois... Patrick... Patrick Stevens...

Que lui importait qu'il ait été accusé de crime ? N'avait-elle pas toujours su qu'il était un honnête homme ? Patrick... Patrick Stevens...

Il se redressa brusquement, vit le regard pointillé d'or et brillant de larmes de Christine appuyé sur lui et comprit qu'elle avait tout deviné.

N'y tenant plus, Anne courut vers lui en s'écriant nerveusement :

— Pat ? Dis vite, Pat ! Est-ce vrai...

— Oui ! sonna clairement la réponse. Vas-y ! Dis tout à mes amis !

Il s'était complètement repris. Les couleurs remontaient lentement à ses joues... mais il baissa la tête, joignit les mains et les considéra...

Anne se mit à conter une incroyable histoire... dont l'accent de vérité ne pouvait cependant tromper. Elle parlait d'un meurtre commis à Lyon voici plus de six années, d'une arrestation, d'un emprisonnement, d'une condamnation, d'une fuite au Brésil, avec Timbo, Gomez et elle-même. Ils avaient comploté et réussi l'évasion avec l'aide d'un ami : le docteur Paulus. Anne parlait d'un père hollandais, d'une mère française, tous deux décédés ; d'oncle Jan, propriétaire de vastes plantations sur le Niger en Afrique Occidentale Française, Oncle Jan qui avait apporté à son filleul l'argent nécessaire pour la construction d'une maison, pour acheter les appareils pour le jeune médecin radiologue, oncle Jan qui avait amené Timbo, son propre boy, de Niamey, pour assurer le service de son filleul. Puis le drame avait éclaté ; la maison n'avait pas été construite, les appareils n'avaient pas été achetés. Le docteur Stevens s'était réfugié dans ce pays farouche et avait eu le courage et la volonté nécessaires pour recommencer une vie nouvelle, loin du monde qui le bannissait. A présent il aimait sa propriété qu'il appelait « MON BLED ». En apprenant l'accusation et la condamnation de son filleul, oncle Jan l'avait renié. Mais, le docteur, connaissant le cœur et la probité de son parrain, lui avait écrit où et de quelle manière il pourrait le toucher si, un jour, il avait besoin de lui... il avait attendu plus de six années. Ce devait être le docteur Paulus de Lyon qui avait envoyé les découpures de journaux à oncle Jan en Afrique.

Tandis qu'Anne poursuivait son histoire, Christine, n'entendait plus qu'un nom, toujours le même : Patrick... Patrick Stevens... fils d'un père hollandais : « son of Stevens », Stevenson. Il n'avait point menti !

Il était homme d'honneur, loyal, intrépide ! Il était homme de cœur !

Lorsque Anne se tut, un silence embarrassant s'installa.

Alors Patrick leva la tête... vers Christine...

Debout à quelques pas et toujours appuyée contre le bois, elle comprimait de ses mains jointes le tumulte dans son cœur... de son regard montait une ardente prière, tel que tout son être se tendait, implorant, vers lui.

Il se redressa... Christine s'abattit contre lui... Avec elle, il serrait l'univers entier dans ses bras !

Il aimait sa droiture, son courage, sa tendresse filiale. Il aimait sa chevelure soyeuse dans laquelle s'égarait sa grande main ; il aimait son joli visage ovale, son nez mutin, ses joues rondes et lisses et ses yeux... ses grands yeux purs où il lisait sa confiance, son amour, sa joie... Non, elle n'avait jamais douté de lui !

— Chris, ma... femme ?

— Oui !

Raymond Talman s'était approché et les prit tous deux dans ses bras ; sa voix tremblait :

— Je veux être le premier à vous féliciter, « mes enfants », et à vous dire mon bonheur... à vous Patrick, encore ma reconnaissance. Maintenant le « monde » s'ouvre pour vous ! Vous pouvez quitter « Votre Bled » !

***

Il le quitta quelques semaines plus tard, non plus en homme des bois, mais vêtu impeccablement — « tiré à quatre épingles » — nettement rasé, emportant dans ses bagages de beaux costumes de ville et de sport, des vêtements du soir... et sa petite femme à son bras.

Ils firent un long séjour chez oncle Jan à Niamey ; ils visitèrent tante Lise en Camargue et le docteur Paulus à Lyon.

⁂

Après quatre mois d'absence, ils revinrent vers « Leur Bled » , le pays magnifique et sauvage qu'ils avaient appris à aimer. Ils en exploitèrent les innombrables richesses, avec l'aide de Raymond Talman et de leurs fidèles amis : Pedro et Anne, Josua et Mahila, le boy Timbo, les aides sûrs du Mas, et les hommes et femmes venus de tous les pays de la terre.

Ce fut ainsi qu'au cœur du farouche Seringal naquit un nouveau village. Les peuples, unis par la main de Dieu et soumis à ses lois divines, réalisèrent un monde... le monde le plus durable et le plus beau, car ses fondations, bâties sur le roc, portent le beau nom de : CHARITE.

FIN

Où se trouve le Seringal ?

Parmi les arbres appelés : « caoutchouc », l'*hévéa* semble être l'originaire et le plus connu dans les régions tropicales de l'Amazone et de ses affluents — dont le rio Tapajoz — où, dans les grandes étendues des forêts vierges, ils poussent abondamment. Ils se tendent, hauts et droits, garnis de leurs élégantes ramures, vers le soleil dans l'enchevêtrement des verdures.

Les hommes habitant des cases isolées, sinon groupés dans de petits villages, pénètrent profondément dans la brousse pour extraire et récolter, par incision, la matière liquide des troncs ; le suc épaissi fournit le caoutchouc.

Ces ouvriers spécialisés s'appellent : « seringueros ». Les régions où ils vivent, où ils travaillent et les immenses forêts vierges non encore explorées, portent le nom générique sonnant gracieusement à l'oreille : le SERINGAL.

LES ETATS-UNIS DU BRESIL

Le Brésil (dont la capitale fut : Rio de Janeiro jusqu'en 1960) comprend deux immenses régions de relief absolument dissemblables : les plaines très étendues de l'Arizona aux forêts vierges et climat équatorial et le plateau brésilien qui fait partie de la zone tropicale dont les montagnes escarpées surplombent l'océan Atlantique.

Depuis 1945, c'est-à-dire après la seconde guerre mondiale, l'industrie s'est beaucoup développée dans les contrées habitées et les grands centres : constructions mécaniques, métallurgie, cimenteries, filatures, tissages et industries alimentaires.

Dans le Sud-Est on cultive le thé, le café, le coton, quelques céréales et les arbres fruitiers. En Amazonie on exploite les richesses de la forêt : plantes médicinales, caoutchouc, bois, cellulose, gomme et copal. Dans les Etats du Nord-Atlantique et dans le Rio Grande do Sul, c'est l'élevage qui prend le plus d'importance. Quant aux ressources minières du Brésil, l'exploitation en est très importante : pétrole, diamant, or, fer, nickel, cuivre, quartz, etc.

La côte du Brésil fut atteinte en 1500 par le Portugais Pedro Alvarez Cabral. En 1509 Diego Alvarez Correa s'y établissait.

Vers l'an 1550 le Brésil n'était encore qu'une étroite bande de terre longeant l'Atlantique et doté d'une administration portugaise, mais au XVIIe siècle les frontières du pays s'étendaient au-delà du rio San Francisco. A la fin du XIXe siècle elles touchaient les Andes. Le régent du Portugal, chassé de ses Etats, s'y établit de l'an 1808 jusqu'à 1820 et, après la proclamation de l'indépendance en 1822, son fils Pierre Ier en devint empereur constitutionnel. Ce ne fut qu'en 1889 que la République des Etats-Unis du Brésil fut constituée. En 1930, le président Vargas prit le pouvoir et en 1937 il établissait une dictature. Gaspar Dutra le remplaça en 1945 ; cependant Vargas reprit la présidence en 1951 mais il mourut en 1954.

BRAZILIA

Après la proclamation de l'indépendance en 1822, José Bonifacio avait suggéré de donner une nouvelle capitale au Brésil. Rio de Janeiro, situé au bord de l'Atlantique, ne pouvait efficacement aider à l'unification, au développement du pays et exploiter les richesses intérieures innombrables des terres. Mais on hésita devant les difficultés de l'entreprise gigantesque et l'idée de Bonifacio tomba dans l'oubli. Cependant, en 1892 un premier examen de ses *Mémoires* eut lieu et l'on effectua les premières démarcations sur le plateau central de Goias. Il avait fallu plus de trois mois pour se rendre sur les lieux et les projets furent encore une fois abandonnés. Ce ne fut qu'après la seconde guerre mondiale que la Constitution décida que la nouvelle capitale de l'Etat brésilien serait construite sur le plateau central à plus de mille kilomètres de la côte.

En 1955, le président Juscelino Kubitschek fit construire la ville qui « nouerait » plus directement la nation au Venezuela, au Pérou, au Paraguay, à la Colombie et surtout à la Bolivie, « l'axe » du continent sud-américain. Les cultures, les élevages, les produits exotiques, ne resteraient plus guère si fragiles et si aléatoires. Les immenses terres vierges seraient défrichées : les ressources minières incalculables seraient accessibles et exploitées ; un nouvel et riche avenir s'ouvrait pour le monde brésilien.

Et la nouvelle capitale fédérale des Etats-Unis du Brésil naquit ; elle se nomme « Brazilia ». Elle est construite en forme de croix et placée « sous le signe de la croix ». Le 21 avril 1960 elle fut inaugurée par le président Kubitschek et bénie par le cardinal Manoel Cerejeira, primat du Portugal, en présence de plus de cent mille personnes.

DES PRESSES DE GERARD & Co
65, rue de Limbourg, Verviers (Belgique)

marabout Mademoiselle

PUBLIE POUR LES JEUNES FILLES ET LES JEUNES FEMMES D'AUJOURD'HUI, DES ROMANS FRAIS ET MODERNES, DES BIOGRAPHIES DE FEMMES ILLUSTRES, DES RECITS DE CARRIERES FEMININES ET LES CELEBRES AVENTURES DE SYLVIE.

● PARAIT TOUTES LES DEUX SEMAINES.

- .... 73 **Les mensonges de Jo Andrieux,** TIM TIMMY — **Humour.**
- .... 74 **Un violon de Bucarest,** DOMINIQUE FOREL — **Roman de métier.**
- .... 75 **Mary Allen publicité,** MARCIA PAUL — **Roman de métier.**
- .... 76 **Le gang des 4 saisons,** DOMINIQUE FOREL — **Aventure.**
- .... 77 **Sylvie à Ariennes,** RENE PHILIPPE — **Une histoire de Sylvie.**
- .... 78 **Aline et les chats,** MARIE LAUREYS — **Aventure.**
- .... 79 **Le rêve de Barbara,** JEANNE WILLIAMS — **Romanesque.**
- .... 80 **Le retour de Polochon,** TIM TIMMY — **Humour.**
- .... 81 **Sophie, née Rostopchine,** CLAUDE MEILLAN — **Biographie.**
- .... 82 **Vicky et le serpent à plumes,** PATRICK SAINT-LAMBERT — **Aventure.**
- .... 83 **Le choix de Monique,** FRANÇOISE PROVENCE — **Roman de métier.**
- .... 84 **Aline a son secret,** MARIE LAUREYS — **Aventure.**
- .... 85 **Sylvie a peur,** RENE PHILIPPE — **Une histoire de Sylvie.**
- .... 86 **Le fantôme de Racapasse,** DOMINIQUE FOREL — **Aventure.**
- .... 87 **La défaite de Jo,** TIM TIMMY — **Aventure.**
- .... 88 **Le grenier d'Anne Franck,** GISELE COLLIGNON — **Biographie.**
- .... 89 **Les soupçons de Vicky,** PATRICK SAINT-LAMBERT — **Aventure.**
- .... 90 **Les lumières de Tokyo,** FREDERICA DE CESCO — **Romanesque.**
- .... 91 **Marianne, médecin des bêtes,** MICHEL DUINO — **Roman de métier.**
- .... 92 **Les Andrieux, bandits corses,** TIM TIMMY — **Aventure.**
- .... 93 **Aline et Michel,** MARIE LAUREYS — **Romanesque.**
- .... 94 **Feu de Bengale,** DIELETTE — **Aventure.**
- .... 95 **Les 29 gosses de Tina,** DOMINIQUE FOREL — **Aventure.**
- .... 96 **Vicky, Loulou et Cie,** PATRICK SAINT-LAMBERT — **Aventure.**
- .... 97 **Sylvie dans la tempête,** RENE PHILIPPE — **Une histoire de Sylvie.**
- .... 98 **Tuiles sur tuiles,** JACQUES HENRY — **Humour.**
- .... 99 **Par-dessus la haie,** MAC AUGIS — **Romanesque.**
- .... 100 **Les trois coups,** DOMINIQUE FOREL — **Humour.**